VACCAJ

METODO PRATICO DI CANTO

(Ariette su testi di Metastasio)

(MEZZO SOPRANO O BARITONO)

Revisione critico-tecnica di

ELIO BATTAGLIA

EDIZIONE CON COMPACT DISC

PRACTICAL VOCAL METHOD
(Mezzo-Soprano or Baritone)
Critical and technical revision by
ELIO BATTAGLIA

RICORDI

E.R. 2891

Traduzione inglese a cura di Stephen Hastings esclusi i testi delle Ariette, tradotti da Elio Battaglia.

ER 2891
ISMN 979-0-041-82891-6

Originale

Metodo=pratico

di

Canto Italiano per Camera

in 15 Lezioni,

di

N. Vaccaj

PREFAZIONE DEL REVISORE

THE EDITOR'S PREFACE

La "storicizzazione" dei classici della musica è dovuta principalmente alle revisioni e riedizioni critiche di uomini di cultura – da Busoni a Gossett – per fare due degli esempi più qualificanti. Tali revisioni sollecitano, in un certo modo, il rapporto con la realtà musicale nel senso lato, analizzandola e rendendola attiva nonché immersa nel momento storico della ricerca d'esecuzione.

Nel campo della didattica della vocalità, purtroppo, tali revisioni sono rarissime o inesistenti; questa didattica, tuttora tesa alla formazione dei suoni cosiddetti "belli", ignora qualsiasi tipo di ricerca riferita ai significati musicali, strutturali o estetici.

Fino alla seconda metà dell'Ottocento, le piccole opere didattiche dimostrano ampiamente con quale cura l'allievo venisse iniziato alle ragioni della voce cantata, mediante innumerevoli tipi di vocalizzi. Non solo; si osservi il celebre *Trattato completo dell'arte del canto* di Garçia (ed. Ricordi, vol. II) e si avrà un'idea di quanto venissero messe in luce anche le componenti puramente linguistiche della musica vocale. E del resto l'ampia letteratura di vocalizzi-solfeggi dal Settecento in avanti costituiva l'unico viatico alla formazione "contemporanea" dell'allievo. Agli inizi del secolo XIX, auspice Luigi Cherubini, apparve il *Méthode du chant du Conservatoire de Musique*, nel quale vennero inclusi gli studi dei primi autori del Settecento quali Leo, Scarlatti, Vinci nonché quelli portatori delle nuove intenzioni della vocalità sotto il profilo drammatico quali Traetta, Sacchini e Gluck. Avvicinandosi l'astro di Verdi, la didattica della vocalità, almeno in Italia, decadde rapidamente tendendo a sparire. I nuovi orientamenti stilistici non sembravano essere affiancati da studi pedagogici atti a mettere il nuovo cantante in condizione di affrontare la nuova vocalità verdiana. L'apparente fracasso delle prime opere di Verdi (egli scriveva al Cammarano nel 1844: «Io sono accusato di amare molto il fracasso e di trattare male il cantante») indusse gli esecutori a dimenticare l'insegnamento dell'antico "buon canto" e a dar fuoco alle polveri del canto a tutta forza. Grave errore, denunciato dallo stesso Verdi che non si stancava mai di auspicare, per la buona resa della sua vocalità, studi profondi di natura e tecnica e linguistica. Invano, tuttavia, fino a oggi.

Era intanto apparso, quasi alla chetichella nel 1833, il *Metodo di canto* di Nicola Vaccaj (1790-1848), che

Our understanding of musical classics in their historical context owes a great deal to the work of revision and critical editing undertaken by men of great learning such as Busoni and Gossett , to name two justly famous examples. Their work enables us to broaden our understanding past musical practice and to apply that knowledge to present day performing conditions.

Unfortunately in the field of voice teaching such critical editions are practically non-existent. Even today the teaching of singing tends to concentrate on the production of so-called "beautiful" sounds, and ignore such matters as meaning, form and aesthetics.

The variety of minor singing treatises published up to the mid-19th century reveal how much care was taken in cultivating the singing voice, by means of an enormous range of vocalizes. If moreover one reads Garçia's famous Treatise on Singing *(vol. II published by Ricordi), one gets a clear idea of how much stress was placed on the purely linguistic elements of vocal music. At that time, the only approach to "contemporary" music was provided by the great variety of vocalizes and solfèges – many of which dated from the 18th century. At the beginning of the 19th century the* Méthode du chant du Conservatoire de Musique *was published under the auspices of Luigi Cherubini. It contained studies written by early 18th century composers such as Leo, Scarlatti and Vinci, along with others – by composers such as Traetta, Sacchini and Gluck – which represented the new, more dramatic trends in vocal music. When Verdi began to dominate the Italian musical scene, vocal teaching – in Italy at least – began to decline. There was little attempt to meet the vocal and stylistic requirements of the Verdian repertoire with new pedagogical works. The apparent noisiness of Verdi's early operas (he himself wrote to Cammarano in 1884: "I'm accused of loving noise and treating the singer badly") led performers to forget the old rules of good singing and to adopt a more forceful and explosive style. This grave error was denounced by Verdi himself, who never tired of pointing out the importance of a thorough study of vocal technique and language if one wished to sing his operas well. An observation that has remained largely ignored right up to the present day.*

In the meantime, in 1883, Nicola Vaccaj (1790-1848) had quietly published his singing Method *– perhaps the last systematic treatise of its kind, offering*

possiamo considerare forse l'ultimo metodo sistematico per la formazione del cantante dilettante o professionista. Il lavoro era stato scritto a Londra dove il compositore era divenuto ricercatissimo maestro di canto. Il *Metodo* fu pubblicato a spese dell'autore, poi a Parigi, infine acquistato da Boosey a Londra e da Ricordi in Italia nel 1848, pubblicato in tedesco dalla Ricordi in Germania.

Il piccolo capolavoro didattico, acquisita graduale popolarità e diffuso nei Conservatori di tutto il mondo, viene ancora oggi usato dai didatti come una serie di graziose Ariette senza un preciso scopo, considerato molto spesso "troppo facile" per le ugole dei futuri atleti della voce.

In tanti anni di esperienze didattiche condotte in ogni parte del mondo, ho potuto constatare che gli studenti italiani, americani o russi, cinesi o giapponesi, apprendono le prime due o tre Ariette all'inizio degli studi, sotto la guida dei maestri di canto, poi inesorabilmente dimenticano in fretta il *Metodo* a vantaggio di altre opere vocali (non didattiche) di vaste proporzioni e disadatte al livello di preparazione graduale.

Ho quindi ritenuto opportuno – a mezzo di una revisione critica – favorirne un uso più sistematico e cosciente che ne illumini l'immensa portata didattica.

Il Vaccaj sembra avesse scritto questo *Metodo* per i cosiddetti "dilettanti" del suo tempo. Ma sappiamo che i dilettanti della metà Ottocento (anche Schubert amava qualificarsi "dilettante in musica"!) erano in definitiva fior di musicisti e bravi esecutori. Se consideriamo la presenza di un bellissimo studio sul *recitativo* (Lezione XIV), dobbiamo rilevare l'inadeguatezza del titolo riportato fino a oggi come segue: "Metodo pratico di Canto italiano **da** Camera". L'autografo riporta invece "Metodo pratico di Canto italiano **per** Camera", destinato cioè a consentire un'educazione vocale fra le pareti domestiche, un'educazione di tipo globale e non soltanto *da camera*. E, in effetti, il geniale lavoro del Vaccaj contiene la via per apprendere a *cantare recitando*, non solo il cosiddetto "belcanto". Se tale conio mai esistette, esso si riferiva di certo al modo di porgere la parola al pubblico non come si suole fare ancora oggi: sottomettere la debita comprensione del testo alla discutibile bellezza del suono. Analizzando attentamente le 15 lezioni, si può constatare come da un'apparente facilità di scrittura-struttura, dovuta in gran parte all'uso della parola in luogo del vocalizzo, l'Autore conduca con calma e competenza l'allievo alla progressiva conoscenza dei fondamenti tecnici ed estetici (in strettissima fusione) dell'arte del Canto. Dal legato su note vicine al corretto modo di articolare vocali e consonanti, dall'intonazione e "aggancio" di intervalli fino all'ottava, al portamento (nel suo corretto essere), dalle agilità e fioriture fino al recitativo e al mirabolante *riepilogo*. Il tutto sottoposto naturalmente alla guida attenta dell'insegnante, come lo stesso Autore raccomanda. Un metodo completo, scrupoloso e di difficile applicazione (Maria Callas lo raccomandava come studio di avanzata difficoltà!), che usato con intelligenza può essere considerato propedeutico per realizzare un certo tipo di vocalità prerossiniana i

a complete course for amateur or professional singers. The work had been written in London, where the composer had become a highly sought-after singing teacher. It was initially published at the author's expense. Later a French edition appeared in Paris, and in 1848 Boosey in London and Ricordi in Italy bought the publishing rights. A German edition was published by Ricordi in Germany.

Vaccaj's masterly Method *won increasing popularity with time, and was eventually used in conservatories all over the world. Even today it is often used by singing teachers, who consider it a collection of attractive Ariettas without any particular function. They are often thought to be "too easy" for future vocal athletes.*

In many years of teaching experience all over the world I have discovered that students (whether they be Italian, American, Russian, Chinese or Japanese) tend to learn the first two or three Ariettas at the beginning of their studies (under the guidance of their singing teachers), and then rapidly abandon the Method *in favour of other (non-pedagogical) works of vast proportions and quite unsuited to their level of preparation.*

I thus decided it would be useful to undertake a critical revision of Vaccaj's work, both to encourage a more systematic and intelligent use of it, and to throw further light on its enormous importance for the teaching of singing.

Vaccaj apparently wrote this Method *for the so-called* dilettanti *of those times. We know however that the amateurs of the mid-19th century (even Schubert liked to call himself a* musical amateur!*) were often splendid musicians and excellent performers. Vaccaj's marvellous lesson on* recitative *(Lesson XIV) makes us realize moreover how inadequate the usual title –* Metodo pratico di Canto italiano **da** Camera *– is. In fact Vaccaj's original manuscript was intitled* Metodo pratico di Canto italiano **per** Camera. *The emphasis was thus placed on the fact that the method could be followed at home, not on the fact that it was limited to chamber music. Vaccaj's masterly method teaches the student in fact how to* cantare recitando, *and not just the so-called* belcanto. *Indeed this latter term certainly referred originally to the way in which the singer projected the words, whereas today it has come to mean the subordination of those words to a debatable concept of tonal beauty. If one analyzes the 15 lessons attentively, one becames aware of the calm and competent manner in which the Author progressively imparts to the student the fundamental technical and aesthetic principles (the two are closely linked) of the art of singing. The vocal writing and musical structures seem deceptively easy at first, largely because words are used instead of vocalizes. The Author starts with the problem of slurning notes separated by very small intervals; then he deals with the correct way of articulating vowels and consonants, before passing on the such problems as intonation, the correct way of singing intervals up to an octave, the use of portamento and coloratura . He finishes up with a lesson on*

cui rinnovati interessi necessitano di studi qualificati e attenti.

L'ausilio della dimostrazione pratica a mezzo di CD in cui troviamo registrato l'intiero *Metodo*, sia per voce femminile che maschile (da due giovani ma affermati cantanti formatisi alla mia scuola, il soprano Nuccia Focile e il baritono Lucio Gallo) nonché la base dell'accompagnamento pianistico per ogni tipo di voce (a cura di Erik Battaglia), faciliterà il riconoscimento in questo glorioso *Metodo*, molto più attuale oggi che non quando fu scritto, di una sorta di *codice della vocalità*, così come lo può essere il *Gradus* del Clementi o il *Mikrokosmos* di Bartók per gli allievi pianisti.

Elio Battaglia

recitative and a splendid epilogue *in which he sums up the whole course. Each lesson must be undertaken under the close guidance of a teacher – as the Author himself recommends. Vaccaj's* Method *is complete, scrupulous and difficult to apply (Maria Callas recommended it for highly advanced study!). If used correctly it can prove an ideal preparation for a certain type of pre-Rossinian vocalism which is attracting renewed interest and which requires careful and highly qualified studies.*

The completeness and centrality of Vaccaj's Method, *comparable in this sense to Clementi's* Gradus *or Bartók* Mikrokosmos *for piano students, is further demonstrated by the practical examples contained in the accompanying CD. This CD contains a recording of the whole method for both female and male voice (undertaken by two successful young singers who have studied with me: the soprano Nuccia Focile and the baritone Lucio Gallo) as well as the piano accompaniment (the pianist is Erik Battaglia) for every type of voice.*

Note biografiche di Nicola Vaccaj

Nato a Tolentino (Macerata) nel 1790, iniziò gli studi musicali a Pesaro per proseguirli poi a Roma, dove nel 1811 si diplomò in Composizione al Conservatorio di S. Cecilia.

A Napoli, dove si era perfezionato con Paisiello, presentò la sua prima opera, *I solitari di Scozia*, nel 1815.

Si trasferì a Venezia, Trieste e infine a Vienna. Nel 1825 fu a Parigi e soggiornò circa quattro anni a Londra dove nel 1833 scrisse il famoso *Metodo di Canto*.

Tornato definitivamente in Italia, insegnò al Conservatorio di Milano dove tenne la cattedra di Canto fino al 1843.

Ritiratosi a Pesaro, vi morì il 6 agosto 1848.

Fra le sue opere più accreditate nel suo tempo: *Bianca di Messina* (1826), *Giovanna Gray* (1836), *La sposa di Messina* (1839), e soprattutte *Giulietta e Romeo*, composta nel 1825 e spesso cantata da Maria Malibran. Nel 1832 la celebre cantante chiese a Bellini di sostituire il 3º atto dei suoi *Capuleti e Montecchi* con quello di *Giulietta e Romeo* di Vaccaj. Nel 1837 compose insieme a Coppola, Donizetti, Mercadante e Pacini una cantata funebre *In morte di Maria Malibran*.

Nicola Vaccaj: biographical notes

Vaccaj was born in Tolentino (Macerata) in 1790. He began his musical studies in Pesaro. He later moved to Rome, taking his diploma in Composition at the S. Cecilia Conservatory in 1811.

Afterwards he went to Naples to study with Paisiello, and it was in that city that his first opera – I solitari di Scozia *– was presented in 1815.*

In the years that followed he moved to Venice, Trieste and in the end to Vienna. In 1825 he was in Paris, after which he moved to London for four years. It was there that he published his famous singing Method *in 1833. He spent his last years in Italy, where he taught singing at the Milan Conservatory until 1843. He later retired to Pesaro, where he died on 6th August 1848.*

During the composer's lifetime his most successful works were Bianca di Messina *(1826),* Giovanna Gray *(1836),* La sposa di Messina *(1839) and, above all,* Giulietta e Romeo, *which was composed in 1825 and was often sung by Maria Malibran. In 1832 the soprano asked Bellini to replace the third act of his* Capuleti e Montecchi *with the third act of Vaccaj's* Giulietta e Romeo. *In 1837, Vaccaj composed – together with Coppola, Donizetti, Mercadante and Pacini – a commemorative cantata:* In morte di Maria Malibran.

Ringraziamenti

Il revisore esprime il suo ringraziamento al Comune di Tolentino per avergli dato la possibilità di consultare l'autografo originale del *Metodo* di Nicola Vaccaj.

A note of Thanks

The revisor thanks the Tolentino town council for having allowed him to consult the original autograph manuscript of Nicola Vaccaj's Method.

Prefazione dell'Autore
Scopo del metodo pratico

Pel gran vantaggio che offre l'idioma italiano egli è fuor di dubbio che debbasi incominciare dal canto in questa lingua, giacché, questo conosciuto, riesce assai facile il cantare in tutti gli altri idiomi. Ammaestrato dall'esperienza, conobbi che nella Germania, Francia, Inghilterra ed anche in Italia, molti che per diletto l'apprendono, riesce a lor grandissimo peso il doversi esercitare in lunghi solfeggi ed esercizi, essendo loro unico scopo di cantare in camera, non attenendosi perciò ad alcun metodo. Pensai quindi a comporre il presente di genere affatto nuovo, utile e dilettevole, che, evitando la noia di lunghi studi, raggiunga il medesimo scopo.

Essendo la difficoltà maggiore per gli stranieri, quella di parlare cantando una lingua non propria, anche dopo qualche esercizio di solfeggi e vocalizzi, immaginai quindi che fin dai principi fosse meglio abituarsi alla lingua piuttosto che a sillabe insignificanti, e scegliendo fra le belle poesie di Metastasio le più adatte, me ne servii col proposito di rendere più gradite le prime regole che nessuno vuol praticare onde sfuggirne la noia.

Certo che questo sarà utile non solo ai dilettanti, ma anche a chi vuol professare l'Arte, potendo servire di schiarimento ad altri metodi, essendo composto con esempi dimostrativi.

Mi tenni per tutto il Metodo ad un'estensione limitata per comodo della maggior parte delle voci; ed essendo anche miglior cosa l'esercitare in principio *il centro della voce*, d'altronde sempre sufficiente per imparare tutte le regole; non essendo difficile trasportare, quando si voglia, qualunque lezione un tono o più alta o più bassa.

Nicola Vaccaj
Londra, 1833

The Author's Preface
The Aims of the Practical Method

Such are the advantages offered by the Italian language that it is unquestionably advisable to learn to sing in this idiom first, after which it will be easy to sing in the other languages. I have come across many people in my experience – in Germany, France, England and Italy – who, desiring simply to learn to sing for their own pleasure, are unwilling to embark on long exercises and solfèges, and as a result their study lacks any method. I therefore decided to prepare a new and entirely new method, which might prove both useful and enjoyable and – while avoiding the boredom of long studies – would achieve the same end.

Since the principal difficulty for foreigners (even after doing vocalizes and solfège) lies in singing a language which is not their own, I tought that it was a good idea that they should get used to the language right from the beginning of their studies. Rather than have them sing meaningless syllables, I chose the most suitable of Metastasio's splendid poems as a means of inculcating those basic rules which most students neglect because they find them boring.

There is no doubt that this method will prove useful not only to amateurs, but also to those who wish to make this Art their profession. It may well help to clarify points made in other methods, thanks to the use of examples.

Throughout the method I have made use of a limited extension which should prove comfortable for most voices. Moreover it is always a good idea to start by practising in the centre of the voice. Indeed all the rules can be learnt in this part of the voice, and if one should so desire, any of the lessons can be transposed a tone higher or lower at will.

Nicola Vaccaj
London, 1833

LEZIONE I
LA SCALA

L'Arietta

Manca sollecita / più dell'usato
ancorché s'agiti / con lieve fiato
face che palpita / presso al morir.

Scrive Vaccaj:

«In questa prima lezione la divisione delle sillabe si stacca dall'ordinario onde dare, il più possibile, idea del modo di pronunciare cantando; come consumare con la vocale il valore di una o più note, ed unire la consonante con la sillaba seguente. Questo servirà di facilità anche per imparare il Canto legato, ciò che non si può ben insegnare se non che con la sola voce di un buon maestro.»

Tecnica e stile

A differenza della divisione tradizionale delle sillabe:

il Vaccaj indica una divisione diversa:

affinché l'allievo impari a cantare sulle vocali attraverso l'articolazione rapida delle consonanti, realizzando in tal modo il *legato* nel canto.

Tale suggerimento non si ripete nelle lezioni seguenti e si ritorna alla tradizionale scrittura del testo sotto le note.

Le frasi dell'Arietta vanno eseguite in tempo *Adagio* e si prenderà il respiro soltanto a ogni pausa. Durante l'ascesa alla nota più acuta del pezzo si avrà cura di osservare la più assoluta immobilità e rilassatezza dell'apparato oro-faringeo al fine di realizzare un *canto sul fiato* ideale. L'attacco sulla nota iniziale della quartultima battuta potrà essere eseguito sia sul *f* che sul *p* a seconda delle possibilità espressive dell'esecutore.[1]

Come si vede, questa prima Lezione, malgrado l'apparente semplicità strutturale, è forse, da un punto di vista strettamente vocale, una delle più complesse di tutto il *Metodo*. Non si raccomanderà mai abbastanza di ritornarvi regolarmente, considerandola quale esercizio ideale di *canto legato*.

---

[1] L'allievo eviterà in questa lezione qualsiasi tipo di espressività (patetica, gioiosa o drammatica) badando invece a relizzare l'uguaglianza di volume e di colore nel registro medio-acuto della voce.

LESSON I
THE SCALE

The Arietta

The flame which is wavered by the wind extinguishes much earlier.

The Author writes:

"*In this first lesson the syllables are divided in an unconventional manner in order to convey, as clearly as possible, the idea of how one should pronounce when singing; how to exploit the value of one or more notes by using the vowel sound, linking the consonant with the syllable that follows. This will also help the student to learn how to sing* legato *– something that cannot easily be taught except by means of vocal examples by a good teacher.*"

Technique and style

Rather than dividing the syllables in the traditional way:

Vaccaj suggests a different solution:

with the intention of teaching the pupil to sing on the vowel sounds and to articulate the consonants rapidly, so as to achieve a true legato.

This suggestion is not repeated in the later lessons, where the syllables beneath the notes are divided in the traditional manner.

The phrases of the Arietta should be sung Adagio, *and the student should take a breath only where there are rests. In approaching the highest note in the piece one should try to keep one's oropharyngeal apparatus as immobile and relaxed as possible so as to keep the voice ideally* on the breath. *The first note in the fourth from last bar can be attacked either* f *or* p, *in accordance with the performer's expressive potential.*[1]

As one can see, this first Lesson, in spite of its apparent structural simplicity, is vocally perhaps one of the most challenging in the whole Method. *We recommend returning to it regularly as an ideal exercise in* legato singing.

---

[1] *The student should avoid any form of expressiveness in this lesson (whether pathetic, joyful or dramatic), and should rather concentrate on maintaining an eveness of volume and tone-colour in the central-upper register of the voice.*

CANTO
VOICE

Adagio

Ma _ nca so _ lle _ ci _ ta più de _ ll'u _
Ah, if I on _ ly knew, When we are

Adagio

_ sa _ to, a _ nco _ rchè s'a _ gi _ ti co _ n lie _ ve
part _ ed, That my dear love were true, Ev _ er true-

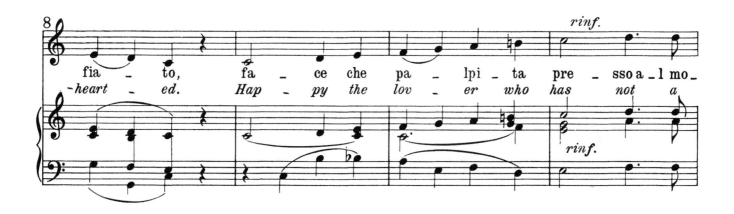

fia _ to, fa _ ce che pa _ lpi _ ta pre _ sso a_l mo_
-heart _ ed. Hap _ py the lov _ er who has not a

rinf.

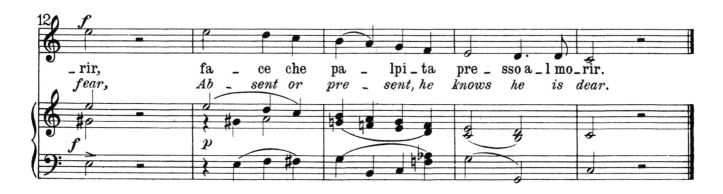

_ rir, fa _ ce che pa _ lpi_ta pre _ sso a_l mo_rir.
fear, Ab _ sent or pre _ sent, he knows he is dear.

Il Revisore ha creduto opportuno mantenere il testo inglese sotto quello italiano di ciascuna Arietta, avvertendo tuttavia lo studente che tale testo non ha alcun rapporto con il significato letterale delle Ariette. La traduzione letterale del testo italiano è riportata nella pagina esplicativa precedente ogni Arietta.

The Editor has thought it appropriate to place the English text directly below the Italian of each Arietta. The student should be aware, however, that the English text does not bear a direct relationship to the literal meaning of the Italian original. For the literal translation of the Italian text consult the page of explanatory notes preceding each Arietta.

INTERVALLI DI TERZA

L'Arietta

*Semplicetta tortorella
che non vede il suo periglio,
per fuggir dal crudo artiglio
vola in grembo al cacciator.*

Tecnica e stile

L'esercizio è dedicato alla corretta intonazione degli intervalli di *terza* e all'uguaglianza dei suoni legati. Malgrado la scansione ritmica di 6/8, tendente naturalmente più a un tempo *Allegro* che *Andantino*, l'allievo eviti qualsiasi *crescendo* o *diminuendo* del peso vocale e dia grande importanza alla chiara pronuncia delle crome e delle semicrome contenute nel pezzo. Accentare, sebbene impercettibilmente, i tempi deboli ("sem-**pli**-cet-**ta**") che non gli accenti tonici per rendere chiara l'intonazione degli intervalli di *terza*.

La semplicità espressiva dell'Arietta deve trovare risalto in un'esecuzione di tipo *ingenuo-naturale*. Un piccolo accento in riferimento a un presunto momento *drammatico* potrà essere posto sulle parole "periglio", "crudo" e "artiglio", affidandosi a una buona articolazione della consonante "r" (ideale per l'appoggio diaframmatico) che il Vaccaj, tramite Metastasio, usa in abbondanza nell'esercizio.

Si ponga la massima attenzione nell'evitare qualsiasi movimento del diaframma durante i salti di *terza* alle crome o alle semicrome al fine di non interrompere il canto appoggiato sulla colonna aerea.

Si ponga inoltre cura nell'esecuzione dei vari dittonghi per rendere distinta l'emissione delle due vocali ("Ved**e-i**l suo", "crud**o-a**rtiglio", "vol**a-i**n gremb**o-a**l").

INTERVALS OF A THIRD

The Arietta

Innocent dove, unconscious of its peril, in order to avoid the eagle's claw flies into the hunter's clutches.

Technique and style

The purpose of this exercise is to teach the student to pitch correctly the intervals of a third *and to equalize the tone of the slurred notes. In spite of the 6/8 rhythm, which naturally suggests an Allegro rather than Andantino, the student should avoid making any* crescendos *or* diminuendos *and should pay great attention to the clear pronunciation of the syllables corresponding to the quavers and semiquavers in this piece. One should very slighly emphasize the weak accents ("sem-**pli**-cet-**ta**") rather than the tonic accents so as to highlight the correct pitching of the interval.*

The expressive simplicity of the Arietta should be conveyed by an ingenuous and natural *style of performance. The apparent* drama *implicit in the words "periglio", "crudo" and "artiglio" can be lightly stressed by means of a clear articulation of the consonant "r" (ideal for diaphragmatic support) which Vaccaj (through Metastasio's verses) uses frequently in this exercise.*

One should pay the greatest possible attention to avoiding any movement of the diaphragm during the intervals of a third *in quavers or semiquavers so as not to interrupt the even flow of the column of air.*

*One should pronounce the various dipthongs with care so as to make the distinction between the two vowels ("Ved**e-i**l suo", "crud**o-a**rtiglio", "vol**a-i**n gremb**o-a**l") as clear as possible.*

Sem _ pli _ cet _ ta tor _ to _ rel _ la, che non ve _ de il suo pe _
Oh, how sad to see a spar_row, All un_con_scious of its

_ ri _ glio, per fug _ gir dal cru _ do ar _ ti _ glio vo _ la in grem _ bo al cac _ cia _
per _ il Fly _ ing from the ar _ cher's ar _ row, Right in _ to a hid _ den

_ tor, per fug _ gir dal cru _ do ar _ ti _ glio, per fug _ gir dal cru _ do ar _
snare; Fly _ ing from the ar _ cher's ar _ row, Fly _ ing from the ar _ cher's

_ ti _ glio vo _ la in grembo al cac _ cia _ tor, vo _ la in grembo al cac _ cia _ tor.
arrow, Right in _ to a hid _ den snare. Right in _ to a hid _ den snare.

LEZIONE II
INTERVALLI DI QUARTA

L'Arietta

Lascia il lido, e il mare infido
a solcar torna il nocchiero,
e pur sa che menzognero,
altre volte l'ingannò.

Tecnica e stile

L'allievo risolva bene la giusta emissione delle vocali nel contesto dei dittonghi contenuti nelle prime cinque battute ("Lasci**a-i**l lid**o-e** il mar**e-i**nfido" etc.). Identificare l'altezza degli intervalli di *quarta* e legare al massimo i suoni senza imprimere movimenti bruschi al muscolo diaframmatico. Alle battute 3-5-7 dopo ciascuna pausa prendere un impercettibile respiro che renda possibile il *legato* delle frasi seguenti.

Dalla battuta 7 in avanti si noterà un artificio di espressione che si ritroverà, per esempio, nelle creazioni di Verdi (l'appoggio sui tempi deboli delle parole nell'Aria "Addio al passato" da *Traviata* oppure l'incedere di Jago nel racconto "Era la notte" dall'*Otello*. Tali accenti fuori posto rappresentano momenti di natura estetica. Il canto di Jago deve essere di necessità insinuante e persuasivo. Accentando il tempo debole delle parole "not-t**e**", "dor-mi**a**", il cantante realizzerà pienamente le indicazioni espressive dell'Autore. Il Vaccaj prepara egregiamente l'allievo al gusto interpretativo che in un certo senso anticipa la vocalità del XX secolo.

Si realizzi l'impulso diaframmatico sui tempi deboli in modo rapido e sicuro. Osservare che le molte consonanti di tipo nasale-rinofono quali "m" o "n" ("**m**are infido", "**men**zognero", "l'i**ng**annò") aiutano a sostenere i suoni nella cosiddetta "maschera" nel preciso intento di ottenere il canto *legato*.

LESSON II
INTERVALS OF A FOURTH

The Arietta

The sailor leaves the shore and with his boat sails the treacherous sea, and yet he knows that it has deceived him many times.

Technique and style

The student should learn to pronounce correctly the vowels in the dipthongs contained in the first five bars ("Lascia-il lido-e il mare-infido" etc.). The intervals of a fourth should be carefully pitched and sung legato without any jolting of the diaphragm. In bars 3-5-7 one should take an imperceptible breath after each pause in order to be able to sustain the legato in the phrases that follow.

From bar 7 onwards one will find an expressive device which can also be found, for example, in Verdi's works (the leaning on the weak accents of the words in the Aria "Addio al passato" in Traviata, *or in Jago's "Era la notte" in* Otello*). These displaced stresses have an aesthetic function. Jago's singing must necessarily be insinuating and persuasive. By stressing the weak beats in the words "not-te" and "dor-mia", the singer will be able to convey the expressive intentions of the composer. Vaccaj was thus ahead of his time, and prepares his students for future trends in vocal expression.*

The diaphragmatic impulse should be rapid and secure on the weak beats. Note that the consonants of the nasal type - such as "m" or "n" ("mare infido", "menzognero", "l'ingannò") help to keep the sounds in the so-called "mask" and therefore facilitate legato *singing.*

INTERVALLI DI QUINTA

L'Arietta

Avvezzo a vivere
senza conforto
in mezzo al porto
pavento il mar.

Tecnica e stile

L'Arietta è un classico esempio di canto *legato* a mezza voce con due sporadici suoni accentati alle battute 7 e 15 che vanno eseguiti sul *mezzoforte*.

Il ripetersi di consonanti, in questo caso le labio-dentali "v" e "z", conferma l'attitudine del Vaccaj a servirsi, in ogni lezione, di consonanti-chiave differenti. Così la "z" si presenterà *muta-dentale* nella parola "avve-**zz**o" e *sonora* nella parola "me-**zz**o". Si articolino bene queste doppie consonanti al fine di imprimere al canto, anche se di natura legata e tranquilla, momenti di tensione drammatica.

Si esegua l'intervallo di *quinta* iniziale e mediano (battute 1 e 9) avendo cura di tenere il palato molle molto alto in modo che le onde sonore siano ricevute nella bocca anziché nelle risonanze nasali. Ridurre al minimo l'apertura della cavità orale e non modificare (se non per ragioni fonetiche) la posizione delle labbra durante la durata di ciascun suono.

Non ci stancheremo mai di ripetere che le lezioni iniziali di questo *Metodo* presentano difficoltà di base maggiori rispetto alle successive.

INTERVALS OF A FIFTH

The Arietta

Used to live without comfort in the midst of the harbour I fear the sea.

Technique and style

This Arietta is a classic example of legato *singing in a* mezza voce, *interrupted only by the stressed notes in bars 7 and 15, which should be sung* mezzoforte.

Note how Vaccaj introduces different key consonants in each exercise. In this Arietta there is a repetition of the labio-dental sounds "v" and "z". The "z" is voiceless *in the word "avve-zzo" and voiced in the word "me-zzo". These double consonants should be well articulated in order to lend a certain dramatic tension to the otherwise tranquil* legato *line.*

The intervals of a fifth *which occur at the beginning and in the middle of the Arietta (bars 1 and 9) should be sung with the soft palate in a very high position so that the waves of sound hit the mouth rather than the nasal resonators. One should reduce the opening of the oral cavity to a minimum and not modify (if not for phonetic reasons) the position of the lips for the duration of each sound.*

We shall never tire of repeating that the opening lessons of this Method *include many more basic difficulties than the later lessons.*

LEZIONE III
INTERVALLI DI SESTA

L'Arietta

Bella prova è d' alma forte
l' esser placida e serena
nel soffrir l' ingiusta pena
d' una colpa che non ha.

Tecnica e stile

Si seguano i consigli dati nella precedente lezione per ciò che riguarda l'identificazione dell'altezza degli intervalli di *sesta*. Anche in questa Arietta il Vaccaj fa un interessante uso di pause di semicrome che vanno realizzate prendendo mezzi respiri, dando tuttavia l'impressione di non interrompere la linea melodica del pezzo.

Il punto chiave è dato dalle battute 9-10-11-12. Il passaggio "Bella prova-è d'alma forte" e il seguente "l'esser placida-e serena" vanno eseguiti tenendo immobile la cavità oro-faringea fino alla nota acuta di ciascuna frase, nonché alzando al massimo il palato molle al fine di ottenere il miglior sostegno del suono. Considerare il suono della "e" seguente la parola "placida" quasi come una modificazione della vocale precedente "a". Si ascolti con attenzione l'esecuzione dei cantanti Focile e Gallo.

L'articolazione delle doppie "s", "f" e delle singole "r" ("esser", "soffrir", "prova", "forte") conferirà all'Arietta il carattere alquanto drammatico del contenuto. Non solo; la pronuncia nitida delle doppie consonanti educherà l'allievo a rendere comprensibile il suo canto.

Per ciò che riguarda l'espressione del pezzo il Maestro lascerà piena libertà al giovane interprete di giocare, nei vari salti di *sesta*, sui colori chiari o scuri, *forte* o *piano* della sua voce.

LESSON III
INTERVALS OF A SIXTH

The Arietta

It is of a strong soul to be calm and peaceful while suffering an injust pain of which it has no fault.

Technique and style

One should follow the advice given in the preceding lesson concerning the precise pitching of the intervals of a sixth. *In this Arietta too Vaccaj introduces semiquaver rests which should be used to take half-breaths. One should however avoid giving any sense of an interruption of the melodic line.*

The heart of this exercise is to be found in bars 9-10-11-12. The two passages "Bella prova-è d' alma forte" and "l' esser placida-e serena" should be sung keeping the oropharyngeal cavities immobile until one reaches the highest note in each phrase, and at the same time one should raise the soft palate as high as possible in order to support the sound as well as possible. One should consider the sound of the "e" that follows the word "placida" almost as a modified version of the preceding "a". Listen carefully to how Focile and Gallo perform it.

The articulation of the double "s" and "f" and the single "r" ("esser", "soffrir", "prova", "forte") will emphasize the dramatic import of the Arietta. Moreover the clear pronunciation of the double consonants will educate the student to sing comprehensibly.

As far as expression is concerned, the teacher should leave the young performer free to play with a variety of colours and dynamics in the various intervals of a sixth.

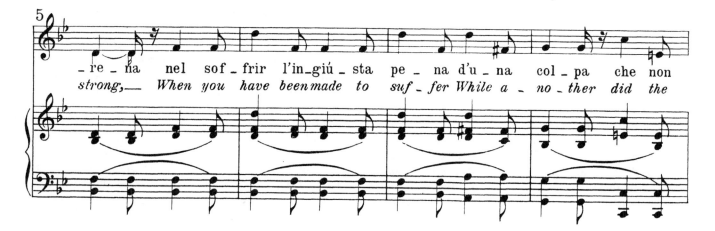

LEZIONE IV
INTERVALLI DI SETTIMA

L'Arietta

Fra l'ombre un lampo solo
basta al nocchier sagace
che già ritrova il polo,
che riconosce il mar.

Tecnica e stile

Notiamo che in quasi tutte le Ariette del *Metodo*, il Vaccaj indica pochi segni di espressione allo studente, mentre sembra far più partecipe il pianista accompagnatore dei suoi intenti estetici. Il segno espressivo di Vaccaj è in stretto rapporto con il fattore tecnico. Infatti, come in questo esercizio, basta che l'Autore segni con un "marcato" un salto di *settima* e l'espressione della frase sarà realizzata pienamente. L'uso continuo delle consonanti doppie, delle vocali di tipo "chiaro", l'elisione delle vocali all'interno dei dittonghi, tutto questo bagaglio di conoscenze fonetiche contribuisce alla resa stilistica di ogni Arietta. Mancano i tradizionali segni quali: *legatura di portamento* (la Lezione XIII è dedicata intieramente a questo problema didattico ancora così attuale!), *con dolore, con espressione*, la gamma dinamica dal *pp* al *ff* etc. Ciò indica che l'Autore lascia allo studioso piena libertà di scegliere quei segni espressivi che più si confanno al suo temperamento e alle sue intenzioni.

L'assenza del segno "marcato" sull'intervallo di *settima* alla battuta 2 sta a significare che il cantante deve affrontare in modo quasi "neutro" il passo tecnico; al contrario, il segno > appare alla battuta 4 e indica che lo studente, realizzato tecnicamente il salto nella battuta 2, può esprimere sulla parola "nocchiero" l'incisività fonetica del suo stile di canto. Fare la massima attenzione alla battuta 6 in cui il salto sulla parola "**ritrova**" può incidere sul *legato* delle due note che compongono il salto stesso. Immobilità assoluta della bocca, piena tensione (in avanti) dei muscoli pettorali e completo abbandono dal mento sulla nota acuta.

LESSON IV
INTERVALS OF A SEVENTH

The Arietta

In the dark, just one flash of lightning is enough for the shrewd sailor to find the right direction in the sea.

Technique and style

Note that in almost all the Ariettas Vaccaj is very sparing in his expressive indications to the student, while revealing his aesthetic intentions much more explicitly to the pianist. Vaccaj's expressive indications are in fact closely linked to matters of technique. In this exercise, for example, the simple indication of marcato over the interval of a seventh is sufficient to give full relief to the expressive function of the phrase. The continual use of double consonants and open vowel sounds, together with the elision of vowels within the dipthongs, helps the student to acquire that understanding of phonetics which is essential if one wishes to perform these Ariettas in the correct style. Such traditional musical indications as the legatura di portamento *(Lesson XIII focuses on this problem, which is highly relevant even today!), con dolore, con espressione, and a variety of dynamics ranging from pp to ff are entirely lacking. This suggests that the Author wishes to leave the student free to choose those expressive features which best suit his temperament and interpretative intentions.*

The absence of the marcato *indication over the interval of a seventh in the second bar suggests that the singer should negotiate this technical problem in an almost neutral manner. The Author introduces the symbol > however in bar 4, suggesting that once the student has mastered the technical difficulty he can sing the word "nocchiero" in a more incisive manner. One should be very careful when singing the interval on the word "**ritrova**" in bar 6 to maintain a perfect* legato *in joining the two notes. The mouth should remain absolutely immobile, the pectoral muscles should be tensed (in a forward position) and the chin relaxed when singing the high note.*

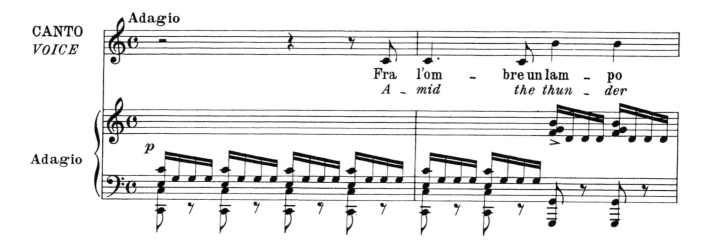

INTERVALLI DI OTTAVA

L'Arietta

Quell' onda che ruina,
balza, si frange e mormora,
ma limpida si fa.

Tecnica e stile

Eseguire l'Arietta nel modo più "cantabile" possibile, cercando di non mutare la posizione del suono fra il registro grave e quello medio-acuto da raggiungere. L'uso della *Bruststimme* (voce di petto) va fatto in modo molto accorto e senza che si avverta il passaggio fra i due registri. Lo studente si eserciti a cantare il pezzo, che fra l'altro rappresenta uno stile di canto assolutamente delizioso, usando ugual volume di voce fino alla conclusione. Una volta ottenuta la più completa uguaglianza di suono potrà, a suo piacere, ma sotto la guida assidua dell'insegnante, variare i segni dinamici con appropriati accenti drammatici sui salti di *ottava* "balza, balza, balza" e marcando leggermente alla terzultima battuta il "ma" per poi legare correttamente i suoni della scaletta discendente.

Per bene eseguire i salti di *ottava*, esercitarsi nel prendere il fiato *basso* allorché la voce preme sulla nota acuta, mentre immaginare alquanto *alta* di posizione ciascuna nota inferiore.

Questa lotta fra *contrari* farà sì che il cantante usi molto moderatamente la voce di petto e, al contrario, imprima il massimo sostegno basso alle note acute.

Inutile raccomandare agli insegnanti di trasportare tutte le ariette del *Metodo* di alcuni toni superiori o inferiori al fine di rendere la voce agile e pronta a destreggiarsi sulle note acute e gravi del pentagramma.

INTERVALLE OF AN OCTAVE

The Arietta

The wave which rushes, bounces, breaks and roars but then becomes limpid.

Technique and style

Sing the Arietta in as cantabile *a manner as possible, and try not to change the position of the sound when passing from the low register to the middle-upper register. The* Bruststimme *(chest voice) should be used with great care and in such a way that the register break is not noticeable. The student should sing this piece – which is musically delightful – maintaining the same volume of voice right through to the end. Once the student has obtained homogeneity of sound, he can introduce (under his teacher's vigilant guidance) a certain variety of dynamics, stressing the drama in the* octave *jumps on the words "balza, balza, balza" and lightly underlining the word "ma" in the third from last bar, which should be followed by a correct use of* legato *in the descending scale.*

In order to perform the octave *leaps correctly one should take a low breath so that the voice pushes towards the high note, while the lower notes should be prepared mentally in a* high *position.*

This battle between opposites *will ensure a very moderate use of the chest voice and will allow the greatest possible support from below of the high notes.*

It is superfluous to remind teachers that all the Ariettas in the Method *can be transposed up or down by a number of tones so as to increase the flexibility of the voice in the upper and lower registers.*

LEZIONE V
I SEMITONI

L'Arietta

Delira dubbiosa,
incerta vaneggia
ogni alma che ondeggia
fra i moti del cor.

Tecnica e stile

Diciannove battute che costituiscono un magnifico esempio di aria preparatoria alle tante che si trovano nella letteratura melodrammatica Sette-Ottocento. A differenza della situazione didattica attuale, il *Metodo Vaccaj* era, all'epoca della composizione, da considerare un modo intelligente e piacevole per iniziare il giovane cantante alla musica vocale *contemporanea* dell'epoca. Strutturalmente il pezzo è un esercizio sul *semitono*, cioè sul più vicino intervallo del sistema tonale nonché una serie di *modulazioni* (Fa maggiore, Si minore, Do maggiore, Fa maggiore) che rendono ansioso e pressante il rapporto fra testo e melodia.

L'allievo deve esercitarsi sui fiati lunghi o almeno dare la sensazione di non prendere fiato fino alla battuta 7. Consideri dunque le pause di croma momenti di brevissima sospensione "drammatica". Si inizi lo studio dell'Arietta in modo puramente tecnico, facendo attenzione alla netta intonazione degli intervalli, all'articolazione delle consonanti doppie ("du**bb**iosa", "vane**gg**ia", "onde**gg**ia") nonché a evitare qualsiasi forzatura di voce nel passare alla nota più acuta ("fra i **mo**ti") in battuta 8. Raggiunta l'eguaglianza dei suoni – evitando all'inizio qualsiasi *crescendo* o *decrescendo* del resto non indicati dall'Autore – lo studente cercherà di "interpretare" il pezzo a suo piacere. Facendo leva sulle consonanti doppie e sulle ricorrenti "r" egli potrà far giocare la sua fantasia e attribuire al testo il significato che più si adatta al suo modo di esprimersi in musica. L'Arietta potrebbe costituire un esercizio preparatorio alle varie "arie di follia" di metà Ottocento. Dare gli accenti deliranti alle battute 2 e 7 salendo di semitono in semitono mediante l'accelerazione del tempo. Il ritorno alle note gravi andrà realizzato con eguaglianza di suono e stabilità di movimento. Osservare la più assoluta immobilità oro-faringea alla battuta 16 nell'eseguire la quartina di semicrome.

LESSON V
SEMITONES

The Arietta

Every soul which hesitates among the heart's impulses raves and doubts uncertainly.

Technique and style

These nineteen bars represent a splendid preparation for the arias to be found in 18th and 19th century operatic literarure. One must remember that, in contrast to the present situation, Vaccaj's Method originally provided a pleasurable and intelligent approach for the young singer to the contemporary vocal music of his age. Structurally, this piece is an exercise in the use of the semitone, *the smallest interval in the tonal system. It also includes a series of* modulations *(F major, B minor, C major, F major) which create a particularly taut relationship between text and melody.*

The student should practise using long breaths or should at least give the impression of singing in a single breath up to bar 7. The quaver rests should thus be considered brief moments of dramatic *suspension. One should begin studying the Arietta from a purely technical point of view, paying attention to the exact intonation of the intervals, the articulation of the double letters ("dubbiosa", "vaneggia", "ondeggia"), while avoiding any forcing of the voice in the approach to the high note ("fra i **mo**ti") in bar 8. Once a homogeneity of sound has been obtained (initially avoiding any* crescendos *or* decrescendos*), the student can interpret the piece as he chooses. He can exploit the double consonants and the repeated "r" sounds to imaginatively underline those elements in the text which correspond to his particular way of expressing himself through the music. The Arietta could serve as an axcellent preparation for the various* mad-scenes *of the mid-19th century. The ascending movement in semitones in bars 2 to 7 could acquire a delirious character by accelerating the Tempo. The return to the low notes should be sung evenly and with equal tone. The mouth and throat should remain absolutely immobile while singing the four note semiquaver group in bar 16.*

mo _ ti del_____ cor,   de _ li _ ra   dub _
_oem _ ber and_____ May.   *To mor _ row*   *brings*

_ bio _ sa,   in _ cer _ ta,   va _ neg _ gia   o _
sor _ row;   *Day aft _ er*   *brings laugh _ ter;*   *'Tis*

_ gni al _ ma   che on _ deg _ gia   frai mo _ ti del_____
shad _ ow   *and sun _ shine*   *For that is   life's_____*

cor,   frai mo _ ti del   cor.
way,   *For that is   life's   way.*

LEZIONE VI
MODO SINCOPATO

L'Arietta

Nel contrasto amor s'accende,
con chi cede o chi s'arrende
mai sì barbaro non è.

Tecnica e stile

Non è raro imbattersi in modi sincopati nelle grandi opere teatrali di repertorio. Tuttavia un'intera lezione dedicata a questo artificio ritmico, da parte del Vaccaj, dimostra quanto profondo fosse l'interesse di questo grande didatta per l'educazione completa del cantante! E, non dimentichiamolo, il *Metodo* era stato scritto per i dilettanti!

L'esercizio è notevolmente difficile per il controllo del fiato durante le 28 battute che lo compongono. Il cantante avrà un attimo di pausa alle battute 12 e 15 durante le quali potrà accentare i ripetuti "mai" e portare elegantemente la voce sull'intervallo di *quinta* "non è".

Vaccaj pone la *legatura di portamento* sin dalla prima battuta in modo da evitare l'uso esclusivamente *strumentale* della voce. Sarà utile per il giovane cantante andarsi a guardare ciò che l'Autore dice a proposito del *portamento di voce*, cioè la Lezione XIII, e di cercare, insieme all'insegnante, di iniziare a porre in pratica l'esecuzione ortodossa di tale celebre e purtroppo equivocato abbellimento.

Non prendere il respiro se non a conclusione di ciascun verso, badando all'eguaglianza di tutti i suoni che dovranno apparire decisi, di ritmo serrato ma moderato.

Come potrà notarsi dalle esecuzioni del soprano Focile e del baritono Gallo, il breve pezzo si presta a diversi modi di espressione. Si possono più o meno accentare i ripetuti "mai", oppure articolare in modi diversi la parola "barbaro" e infine concludere in modo sereno oppure passionale la chiusa dell'Arietta nelle sue ultime note affidate alla tecnica del *legato*.

LESSON VI
SYNCOPATED MODE

The Arietta

In contrast Love burns but weakens with anyone who yields and surrenders.

Technique and style

The use of syncopation is by no means rare in the great repertory operas. However, the fact that Vaccaj dedicated an entire lesson to this rhythmic device demonstrates how concerned this great teacher was with providing the singer with a complete education. Nor should one forget that the Method *was written for amateurs!*

This 28 bars exercise poses considerable problems of breath control. The singer is given a moment's rest in bars 12 and 15, during which he can stress the repeated "mai" and carry the voice elegantly through the interval of a fifth on the words "non è".

Vaccaj introduces the portamento *right from the first bar, so as to avoid an exclusively* instrumental *use of the voice. We suggest the young singer reads what the Author says about the* portamento *in Lesson XIII, and attempts – together with his teacher – to use this greatly misunderstood embellishment correctly.*

One should only take a breath at the end of each verse. The sounds should be homogeneous yet decisive and the tempo moderately brisk.

The performances by the soprano Focile and the baritone Gallo demonstrate the wide-ranging expressive potential of this short piece. The repeated word "mai" can be given more or less relief; the word "barbaro" can be articulated in a variety of ways, and the legato close of the Arietta can be sung either serenely or passionately.

LEZIONE VII

INTRODUZIONE ALLE VOLATE

L'Arietta

Come il candore
d'intatta neve
è d'un bel core
la fedeltà.

Un'orma sola
che in se riceve
tutta ne invola
la sua beltà.

Scrive Vaccaj:

«Questa lezione si comincerà col prendere il tempo *Adagio* poi si affretterà fino all'*Allegro* secondo l'abilità dell'allievo.»

Tecnica e stile

Questo è il primo esercizio del *Metodo* che prende in considerazione il *canto di agilità*. E' necessario, per realizzare la virtuosità romantica della vocalità rossiniana o verdiana, che ogni tipo di voce, grave o acuta, di piccolo o grande volume, maschile o femminile, entri in possesso della tecnica del canto fiorito.

La breve Arietta, in apparenza orecchiabile e semplice, può costituire un'ottima base per iniziare l'allievo (non si escludano i bassi profondi!) a una perfetta esecuzione delle cosiddette *volate* o *roulades*. Osservare i seguenti stadi:

a) graduare la velocità dell'esercizio. Studiarlo molto lentamente con leggerezza di fiato e uguaglianza di suono. Aprire con moderazione e uniformità la cavità orale. Articolare al massimo, malgrado la progressiva velocità, le consonanti cercando di rendere comprensibile il testo.

b) eseguire l'Arietta con due tipi di agilità. *Legata*, la prima (si ascolti il soprano Focile), *rubando* all'interno della battuta allungando insensibilmente la prima nota di ogni quartina e facendo scivolare lungo la volta palatina le altre tre note-semicrome. *Martellata* la seconda (si ascolti il baritono Gallo), realizzando un quasi-staccato fra nota e nota a mezzo di brevi impulsi diaframmatici nel più completo rilassamento del corpo. Questo tipo di agilità è il presupposto per realizzare l'agilità rossiniana nonché, esasperando un tantino tale tecnica, quella bachiana. Evitare qualsiasi dispersione di aria durante l'articolazione delle vocali iniziali di ogni parola. Ascoltare attentamente l'esecuzione del baritono Gallo per avere un'idea chiara di quanto scriviamo.

L'esecuzione puramente "tecnica" dell'Arietta renderà superflua ogni intenzione di tipo interpretativo. Basterà eseguire il pezzo con voce morbida e sempre sul *p*, rendendo il testo, anche nel tempo *Presto*, sempre comprensibile.

LESSON VII

INTRODUCTION TO ROULADES

The Arietta

The faithfulness of a loving heart is as pure as untouched snow, but one footprint is enough to ruin its beauty.

The Author writes:

"This lesson should initially be sung Adagio. *Later one can gradually increase the tempo to* Allegro, *in accordance with the student's ability."*

Technique and style

In this exercise the *canto di agilità* is introduced for the first time in the Method. If a singer wishes to master the Romantic virtuoso style to be found in the operas of Rossini or Verdi he or she must acquire a coloratura technique – no matter whether the voice is large or small, high or low.

The short Arietta, with its apparently simple, catchy melody, serves as an ideal starting point (bassi profondi included!) for a correct performance of the so-called roulades. It should be studied as follows:

a) increase the speed of the exercise gradually. It should be studied very slowly at first, keeping the tone even and light on the breath. The mouth should be open to a moderate degree and should remain in the same position. In spite of the increasing speed, one should articulate the consonants as clearly as possible so as to make the words comprehensible.

b) the florid singing should be practised in two different styles. First in legato style (listen to the soprano Focile), with a play of rubato within each bar (the first note of each four-note group should be slightly lengthened, letting the other three semiquavers slide along the roof of the palate). Then in a martellato style (listen to the baritone Gallo), separating the notes by means of short movements of the diaphragm so as to create almost a staccato effect, yet at the same time keeping the body completely relaxed. This latter approach is the correct way to sing florid passages in Rossini's works, and the same style should be used (with slightly more emphasis) in Bach. The student should be careful not to waste any breath while articulating the vowels at the beginning of each word. The performance of the baritone Gallo demonstrates how it should be done.

If one performs the Arietta in a technically correct manner, no further interpretative effort should prove necessary. It is sufficient to perform the piece *p* with a well-supported voice, ensuring that the words are always comprehensible, even when the Tempo is Presto.

CANTO
VOICE

Co _ me il can _ do _ re d'in _ tatta ne _ ve è____ d'un bel
White___as a snow _ field Pure___and un _ trod _ den, Is____the fine

co _ re la___ fe _ del _ tà. U _ n'orma so _ la
rapt _ ure When____two hearts meet. One____ single blem _ ish

che in___ sè ri _ ce _ ve tut _ ta ne in _ vo _ la la___ sua bel _
Fall _ ing up _ on____ it, Marks____ all its beau _ ty, Leaves___ it less

_ tà, tut _ ta ne in _ vo _ la la____ sua bel _ tà.
sweet. Marks____ all its beau _ ty, Leaves___ it less sweet.

LEZIONE VIII

LE APPOGGIATURE SOPRA E SOTTO

L'Arietta

*Senza l'amabile
Dio di Citera
i dì non tornano
di primavera
non spira un zeffiro,
non spunta un fior.*

*L'erbe sul margine
del fonte amico,
le piante vedove
sul colle aprico
per lui rivestono
l'antico onor.*

Scrive Vaccaj:

«L'Appoggiatura è il miglior ornamento del canto, il di cui effetto dipende dal darle il suo giusto valore. Non sarà però difetto l'accrescerlo, lo sarebbe il diminuirlo.»

Tecnica e stile

Pur disseminato, il pezzo, di tale abbellimento, esso rappresenta un esempio egregio di *cantabile*. L'Autore sembra dare assoluta precedenza alla melodia in cui le vocali la fanno da padrone.

Il ritmo di 6/8 favorisce il *legato* e l'allievo dovrà porre la massima attenzione a cantare sul fiato, cioè senza interrompere con bruschi movimenti laringei lo scorrere delle vocali.

L'uso dell'*appoggiatura* viene risolto nella presente edizione per maggior facilità di esecuzione (vedasi al riguardo la nota in calce all'esercizio), ma sia chiaro che oggi si tende a dare, di questo abbellimento, una realizzazione molto più sobria di un tempo allo scopo di rendere l'espressività di tante Arie setto-ottocentesche meno svenevole e retorica.

Il cantante potrà dare sfogo alla sua fantasia nel dare all'Arietta i segni di espressione che meglio si adattino alla sua sensibilità. Sarà bene alternare *mf-p* le ripetizioni contenute nelle battute 24-28.

LESSON VIII

ASCENDING AND DESCENDING APPOGGIATURAS

The Arietta

*Without the lovely God of Cithera spring days won't come, not a breeze will blow, not a flower will sprout.
Grass on the edge of the friendly source, the withered trees on the sunny hill reflower, thanks to him.*

The Author writes:

"The Appoggiatura is the finest of all ornaments in singing, and it must be given its correct value in order to make its effect. It is quite acceptable to increase its value, but not to diminish it."

Technique and style

Although this piece makes frequent use of the appoggiatura, it is a splendid example of a cantabile melody. The Author seems to give absolute preference to the melody, in which the vowel sounds dominate.

The 6/8 rhythm favours legato singing, and the student should concentrate on singing on the breath, without interrupting the flow of the vowel sounds with brusque movements of the larynx.

In the present edition the appoggiaturas are used to facilitate performance (see the note under the exercise). This embellishment, however, is nowadays used more sparingly than was once the case, in order to make the Arias of the 18th and 19th centuries less mawkish and rhetorical in expression.

In this Arietta the singer can give free rein to his imagination, and can interpret the piece in the manner which best suits his artistic personality. It is a good idea to alternate mf and p when singing the repetitions in bars 24-28.

(A) In origine sarebbe così: ▯ ma abbiamo preferito stamparlo nel modo stesso che va eseguito. Dove poi l'appoggiatura era questa ♪ o questa ♪, riproduciamo il testo originale spettando al maestro farne conoscere all'allievo l'esecuzione.

(A) Originally it would have been thus: ▯ but we have preferred to print it as it is to be executed. When the appoggiatura was this ♪ or this ♪, we reproduce the original text, leaving it to the teacher to instruct the pupil how to execute it.

L'er — be sul mar — gi — ne del fon — te a — mi — co,
Soon will the night — in — gale Call to its lov — er,

le pian — te ve — do — ve sul col — le a — pri — co
Hearts will re — e — cho it, Win — ter be o — ver;

per —— lui ri — ve — stono l'an — ti — co — o — nor, —— per
Spring —— shine o'er hill and dale And drive —— care —— a — way —— o'er

lu — i ri — vestono l'an — ti — co o — nor, per
hill —— and dale —— and drive care a — way. o'er

lu — i ri — vestono l'an — ti — co o — nor.
hill —— and dale —— and drive care a — way.

L'ACCIACCATURA

L'Arietta

Benché di senso privo
fin l'arboscello è grato
a quell'amico rivo
da cui riceve umor:

per lui di fronde ornato
bella mercè gli rende
dal sol quando difende
il suo benefattor.

Scrive Vaccaj:

«L'Acciaccatura differisce dall'Appoggiatura perché non toglie né il valore, né l'accento alla nota.»

Tecnica e stile

Pur non togliendo valore alla nota, l'acciaccatura ne intensifica in un certo modo la forza dell'accento. Essa va eseguita con la massima leggerezza indipendentemente dal tempo che si imprime al pezzo. Le note *reali* saranno cantate con perfetta uguaglianza di suono e volume, mentre l'abbellimento va emesso nel modo più rapido possibile al preciso scopo di non rubare alcun valore alla nota sottoposta all'acciaccatura.

Si osservi l'immobilità del muscolo diaframmatico durante l'esecuzione di questo difficile abbellimento. Qualsiasi dispersione di fiato influisce sulla resa tecnica e perfino estetica.

L'acciaccatura veniva posta nel corso di Arie o Ariette teatrali, più che da camera, per rendere il carattere delle stesse giocoso, malizioso o, nel caso di vocalità drammatica, insinuante e talvolta furioso. Bellini ne fa largo uso nelle sue composizioni tragiche (*Norma*: gran duetto fra Norma e Pollione nel Finale dell'opera), Verdi l'intende quale omaggio allo stile vocale del passato (*Trovatore*: Cabaletta di Leonora del I Atto; *Aida*: chiusa del monologo di Aida "Numi pietà"; *Falstaff*: racconto di Quickly del II Atto), non lo trascura Thomas (*Hamlet*: follia di Ophelia) e lo ricorda Puccini (*Tosca*: "ti tormento senza posa").

THE ACCIACCATURA

The Arietta

The tree, although unable of feelings is grateful to the stream which cools and waters it.
As a reward it protects it from the sun's rays.

The Author writes:

"The Acciaccatura differs from the Appoggiatura in that it doesn't reduce the value of the note, or diminish its force."

Technique and style

While not reducing the value of the note, the acciaccatura serves to highlight it in some way. It should be sung as lightly as possible, no matter what the overall tempo may be. The main notes should be sung with even sound and volume while the embellishment should be sung as rapidly as possible to avoid reducing the value of the underlying note.

The diaphragm should remain immobile while singing this difficult embellishment. Any wasting of breath will compromise its technical and aesthetic efficiency.

The acciaccatura was used more frequently in operatic Arias than in chamber works. It helped underline the playful, malicious quality of comic Arias and the emotional ambivalence or even violence of dramatic Arias. Bellini used it frequently in his tragic operas (Norma: the great duet between Norma and Pollione in the last Act of the opera); while Verdi used it to play homage to a vocal style of the past (Trovatore: Leonora's Cabaletta in Act I, Aida: "Numi pietà", Falstaff: Quickly's tale in Act II). Thomas too made use of it (Hamlet: Ophelia's mad-scene), and even Puccini didn't neglect it altogether (Tosca: "ti tormento senza posa").

lui di fron_de or _ na _ to
grate_ful to the giv_er;

bel _ la mer _ ce' gli
They bow their droop_ing

ren _ de dal sol quan_do di _ fen _ de il
branch_es To shade the kind _ ly riv _ er And

suo be _ ne _ fat _ tor,
keep the wa _ ter cool.

dal sol quan _ do di _
To shade the kind _ ly

_fen _ de il suo be _ ne _ fat _ tor.
riv _ er And keep the_ wa _ ter_ cool.

LEZIONE IX

INTRODUZIONE AL MORDENTE

L'Arietta

*La gioia verace
per farsi palese
d'un labbro loquace
bisogno non ha.*

Scrive Vaccaj:

«Il Mordente è l'ornamento il più variato e anche il più difficile, per la leggerezza con cui dev'essere eseguito. Egli è composto di due o tre note e si presta alle grazie del canto senza toglier nulla della frase e dell'intenzione del compositore. Qui cade in acconcio il dire che tutti quei cambiamenti che si sogliono fare nel canto e che abusivamente sono chiamati abbellimenti, allorché sfigurano la melodia originale e l'accento primitivo dell'autore, sono fuori di luogo, difettosi e cattivi.»

Tecnica e stile

Tecnicamente il mordente segue le regole di emissione vocale della precedente acciaccatura. Naturalmente essendo la sua struttura di due o tre note, richiede allo studente grande perizia nel sostenere sul fiato le notine indicate a mezzo di biscrome. La più completa immobilità durante l'articolazione delle vocali producenti l'abbellimento è necessaria per ottenere il canto fiorito *legato*. Alla battuta 17 il Vaccaj pone un interessante esempio di cadenza virtuosistica che ritroveremo in molte opere verdiane (per esempio *Traviata*, *Rigoletto*) e che abitua il giovane cantante al corretto uso e dosaggio del fiato nelle chiuse delle Arie.

La ripresa del tema iniziale (battuta 13) va espressa con franca determinazione vocale in sensibile *crescendo* fino al culmine della piccola cadenza conclusiva.

Ricordi infine l'allievo che, indipendentemente dal tempo usato a piacere (*Andante*, *Andantino*, *Allegro* o *Presto*), il mordente va eseguito nel modo più rapido e, appunto, *mordente* possibile!

LESSON IX

INTRODUCTION TO THE MORDENT

The Arietta

In order to reveal itself, real joy needs no words.

The Author writes:

"The Mordent is the most varied and also the most difficult of ornaments, because of the lightness with which it must be performed. It consists of two or three notes which grace the singing without substantially altering the phrase or the composer's intentions. It should be pointed out here that those so-called embellishments which are so frequently introduced into the vocal line, disfiguring the melodic structure and general character of the composer's original conception, are to be considered out of place and ill-advised."

Technique and style

Technically the mordent should be approached in the same way as the acciaccatura. Since it consists of two or three notes, indicated by demisemiquavers, it obviously requires considerable skill to sing them perfectly on the breath. While singing the vowel sounds of which the embellishment is made up, one should remain as immobile as possible, in order to obtain a true legato. *In bar 17, Vaccaj gives us an example of a virtuoso* cadenza *which can be found in many operas by Verdi (*Traviata *and* Rigoletto, *for example), and which enables the student to acquire the necessary breath control to negotiate successfully the closing bars of such Arias.*

The repeat of the opening theme (bar 13) should be sung in an open and determined manner, making a crescendo *culminating in the short final* cadenza.

*In conclusion, the student should remember that whatever overall tempo is chosen (*Andante, Andantino, Allegro *or* Presto) *the mordent should be performed as rapidly and incisively as possible.*

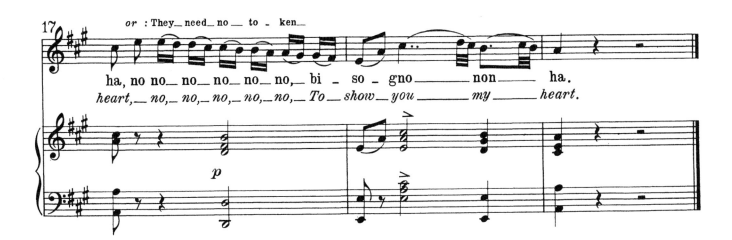

LO STESSO IN DIVERSI MODI

L'Arietta

*L'augelletto in lacci stretto
perché mai cantar s'ascolta?
Perché spera un'altra volta
di tornare in libertà.*

Tecnica e stile

Si tratta, insieme alla Lezione I, dell'esercizio più difficile e complesso dell'intero *Metodo*.

Vaccaj espone qui un gradevole tema di sedici battute per fiorirlo subito dopo dalla battuta 17 alla conclusione della battuta 52 con una serie di mordenti a tre note interpretati in modi diversi, inferiori, superiori, con notevoli variazioni d'intervalli.

In questa difficile Arietta il mordente triplo va eseguito con la massima rapidità e leggerezza di fiato, esclusivamente sulle vocali. Pronunciare le consonanti subito dopo l'esecuzione dell'abbellimento. L'agilità di questi tipi di mordenti deve essere di tipo *legato*. Le voci gravi (mezzosoprano, contralto o basso) diano ai salti che si trovano alle battute 26-28-36 il colore di voce *chiaro* (secondo i consigli che da il Garça nel suo celebre *Trattato*) pur sostenendo al massimo la colonna d'aria in equilibrio con la pressione esercitata dalle labbra vocali.

L'espressione dell'Arietta è lasciata alla fantasia dell'esecutore, tenendo conto che la resa puramente tecnica dell'abbellimento è da porre in primo piano. Evitare il *f* durante tutto il pezzo. Possibile un leggero *ritardando* alle battute 50-51-52.

DIFFERENT TYPES OF MORDENT

The Arietta

Why doesn't the imprisoned bird sing? Because it hopes to fly free again.

Technique and style

Together with Lesson I, this is the most difficult and complex exercise in the whole Method.

In the first sixteen bars Vaccaj presents us with an attractive tune, which is subsequently (from bars 17 to 52) embellished with a series of three note mordents attacked from above and below and covering a wide range of intervals.

In this difficult Arietta, the triple mordent should be performed on the breath, as rapidly and lightly as possible, and entirely on the vowel sounds. The consonants should be pronounced immediately after performing each embellishment. This type of mordent should be sung legato. *Low voices (mezzosoprano, contralto, or bass) should sing the intervals in bars 26-28-36 in a light voice (in accordance with the Garça's advice in his famous* Treatise*), while giving the maximum possible support to the column of air.*

The student is free to give whatever expression he likes to the Arietta, but should bear in mind that his first priority is to perform the embellishments in a technically perfect manner. One should avoid singing f in this piece. It might be possible to introduce a gentle ritardando *in bars 50-51-52.*

LEZIONE X

INTRODUZIONE AL GRUPPETTO

L'Arietta

*Quando accende un nobil petto
è innocente e puro affetto,
debolezza amor non è.*

Scrive Vaccaj:

«In questo esempio si seguirà la stessa regola indicata nella Lezione VII.»

Tecnica e stile

Il Vaccaj consiglia, come già fece in calce allo studio introduttivo alle volate, di esercitare l'Arietta dapprima in tempo *Adagio*, quindi portarla gradualmente al *Presto* secondo l'abilità dell'allievo. Noi riteniamo che se l'allievo ha ben studiato la Lezione VII, potrà facilmente imprimere, sin dall'inizio dello studio di questa lezione, il tempo *Moderato-Mosso*, ai tanti gruppetti disseminati nell'Arietta.

Potrà semmai esercitare il pezzo a mezzo di due tipi di agilità: staccata/legata. Si intenda tuttavia per "staccata" non quella di tipo "picchettato", cioè realizzata con il *colpo di glottide*, bensì quel particolare *modus* di legare-staccare ciascun suono che sarà peculiare aspetto dell'agilità rossiniana. La funzione degli impulsi diaframmatici, sotto tale aspetto, sarà di primaria importanza. Leggerezza unita a un vivo senso del ritmo nel gioco dell'articolazione vocale-consonante. Alle battute conclusive il cantante potrà eseguire un piccolo *ritardando-allargato* sulle parole "debolezza amor" per poi ritornare *a tempo* sulle note (due) finali.

L'agilità legata sarà direttamente proporzionale all'abilità dell'allievo nel *canto sul fiato*. Si tenga il diaframma immobile e lasciare che il respiro si esaurisca nel modo più lento e uguale possibile.

Sull'interpretazione estetica dell'Arietta non vi è molto da dire: la resa tecnica unita alla leggerezza di emissione qualificherà il possibile talento dello studente.

LESSON X

INTRODUCTION TO THE TURN

The Arietta

Love is not weakness when it lightens a noble heart, but only innocent and pure affection.

The Author writes:

"In this example one should follow the same rule indicated in Lesson VII."

Technique and style

Vaccaj suggests (as he had already done in his introduction to roulades) practising the Arietta slowly at first (Adagio), and then gradually increasing the tempo (up to Presto) as the student progresses. In my opinion, a student who has already thoroughly studied Lesson VII should be able to perform the numerous turns disseminated throughout the Arietta at a moderately quick tempo (Moderato-Mosso) right from the beginning.

The student could use the exercise to practice the two kinds of florid singing: staccato-legato. By staccato I don't mean the picchettato effect created by the coup de glotte (schock of the glottis), but rather that particular form of legato-staccato that characterizes Rossini's florid music. The boosting action of the diaphragm, in this sort of singing, is of great importance. It requires an effortless vocal production together with a strong sense of rhythm in balancing vowels and consonants. In the final bars the singer can introduce a slight ritardando-allargato on the words "debolezza amor", re-establishing the original tempo on the final two notes.

The student's ability to sing the florid passages legato will depend on his ability to support the tone on the breath. One should keep the diaphragm immobile and breathe out the air as slowly and evenly as possible.

There is not much to say about the interpretation of this Arietta. It requires above all technical mastery and ease of vocal production.

IL GRUPPETTO

L'Arietta

Più non si trovano
tra mille amanti
sol due bell' anime
che sian costanti,
e tutti parlano
di fedeltà!

Tecnica e stile

La graduale analisi del Vaccaj degli abbellimenti più conosciuti e usati al suo tempo giunge con questo esercizio all'abbellimento-principe. L'Arietta può essere considerata propedeutica per l'approccio ad Arie ben più complesse quali "Casta Diva", "Qui la voce" di Bellini o Lieder quali "Litanei" di Schubert, "Feldeinsemkeit" di Brahms o "Widmung" di Schumann.

Il gruppetto esige dal cantante l'intonazione più precisa, l'assoluta leggerezza dell'emissione e il gusto del porgere – cantando sul fiato – la parola implicata nella sua struttura. Normalmente il gruppetto è formato di quattro note indicate con tre biscrome e una semicroma oppure con quattro biscrome a seconda degli accenti metrici contenuti nel testo poetico.

Alle battute 13-14 il passaggio di ottava va eseguito senza imprimere, per quanto possibile, alcun *crescendo* nel volume della voce.

Il bravo allievo cercherà infine di esprimere una certa ironia nelle quattro battute conclusive dell'Arietta.

THE TURN

The Arietta

Among thousands of lovers one can no more find two consistent souls, and yet everyone talks about faithfulness.

Technique and style

After introducing other embellishments widely used during his lifetime, Vaccaj presents in this chapter the most important of all embellishments. This Arietta can be considered an ideal preparation for much more complex Arias such as Bellini's "Casta diva" and "Qui la voce", or for Lieder such as Schubert's "Litanei", Brahms's "Feldeinsemkeit" and Schumann's "Widmung".

The turn or gruppetto *requires perfect intonation and ease of vocal production, together with an ability to project – on the breath – the word within which it is inserted. Normally the turn consists of four notes indicated by three demisemiquavers and a semiquaver or by four demisemiquaver (depending on the metrical structure of the poetic text).*

The octave passage in bars 13-14 should be sung, as far as possible, without any increase in volume.

A good student will attempt to convey a certain irony in the last four bars of the Arietta.

LEZIONE XI

INTRODUZIONE AL TRILLO

L'Arietta

*Se povero il ruscello
mormora lento e basso,
un ramoscello, un sasso
quasi arrestar lo fa.*

Tecnica e stile

E' interessante notare come il Vaccaj, differentemente dalle altre lezioni, affronti l'argomento "trillo" liquidandolo con uno studio "preparatorio" o introduttivo. Forse egli era d'accordo con i grandi trattatisti del passato e del suo tempo (fra cui il Tosi e Mancini nonché il Garçia) che affermavano essere questo abbellimento il frutto di doti naturali del cantante, difficilmente realizzabile con il solo studio. Un'attitudine, dunque, connaturata, poco apprendibile. Il Garçia ci informa ad esempio che la celebre cantante Giuditta Pasta non riuscì a eseguire correttamente un trillo durante il corso della sua lunga carriera.

Poco conosciuto nei secoli XV e XVI, sembra essere stato introdotto dal falsettista Gian Luca Conforti di Mileto (Calabria) nel novembre del 1591. Pare comunque che fosse conosciuto dagli antichi sotto il nome di *vibrissare* come ne riferisce Pompeo Festo e Plinio il Naturalista attraverso la *Memoria* di P.L. da Palestrina.

Il trillo può essere preparato con una nota inferiore, assumendo la struttura di un gruppetto (il caso di questa Lezione) oppure eseguito *direttamente*, cioè attaccato sul suono *reale*.

Nell'esecuzione del trillo il diaframma dovrà assumere una funzione mobile per poi ritornare fermo sulle note seguenti il trillo. Far bene percepire le elisioni del tipo "pover**o-il**", "lent**o-e** basso", "quas**i-a**rrestar". Dallo studio lento si deve saper giungere all'*Allegro Moderato* e infine possibilmente al *Presto*.

Le due battute conclusive presentano un vero e proprio trillo che va eseguito rapido e granito, evitando, se si vuole, il *rallentato* indicato dall'Autore.

LESSON XI

INTRODUCTION TO THE TRILL

The Arietta

If the stream flows too slowly even a twig or a pebble can almost stop it.

Technique and style

It is interesting to note that Vaccaj discusses the trill comparatively briefly (compared to the other vocal embellishments) and doesn't go beyond a preparatory or introductory study. Perhaps he was in agreement with other experts in the same field (such as Tosi, Mancini and Garçia) who believed that this embellishment was above all a natural gift – difficult to acquire by means of study alone. Garçia, for example, wrote that the famous Giuditta Pasta never performed a trill correctly throughout her long career.

This embellishment, which was little known in the 15th and 16th centuries, seems to have been introduced by the falsettist Gian Luca Conforti di Mileto (Calabria) in November 1591. It seems however that it was known in ancient times by the term vibrissare *– a term used by Pompeo Festo and Pliny the Naturalist according to Palestrina's* Memoria.

The trill may start on a note below the main note, taking the form of a turn (as in this Lesson), or may start directly on the main note.

The diaphragm should be mobile while performing the trill, and then become still again in the notes that follow. Elisions such as "povero-il", "lento-e basso" and "quasi-arrestar" should be clearly audible. One should study the exercise slowly at first, and then gradually increase the tempo to Allegro Moderato or even (if possible) Presto.

In the last two bars there is a real trill, which should be performed rapidly and precisely. If one wishes one can ignore the Author's rallentato indication.

LEZIONE XII
LE VOLATE

L'Arietta

Siam navi all' onde algenti
lasciate in abbandono,
impetuosi venti
i nostri affetti sono,
ogni diletto è scoglio,
tutta la vita è un mar.

Tecnica e stile

Questa lezione completa la precedente VII. Qui le volate o "roulades" sono espresse nella loro interezza, formate cioè da doppie quartine sia ascendenti che discendenti. La corretta esecuzione delle volate dovrebbe costituire la caratteristica comune a ogni buon esecutore vocale. Purtroppo non è così. Rari sono quei cantanti capaci di eseguire una volata senza sfuggire allo "striscio" che fra l'altro rende approssimativa l'intonazione fra una nota e l'altra. Le volate esigono grande flessibilità dell'apparato oro-faringeo e una straordinaria forza di concentrazione, affinché le singole note si proiettino una ad una lungo la volta palatina, creando sia del palato molle che di quello duro una sorta di ideale *tastiera* su cui articolare i suoni, complice la più completa immobilità del muscolo diaframmatico. I muscoli facciali e laringei devono essere rilassati al massimo.

Dal punto di vista estetico l'Arietta può contemplare due tipi di agilità: legato-morbida oppure di forza. In effetti il testo sembra essere di natura alquanto drammatica. Lo studente può iniziare la battuta 6 sul *p* ed esplodere con un deciso *ff* sulla battuta 7 seguente. Articolare bene il gioco vocale-consonante alle battute 9-10-11 pur nel canto *legato*. Le tre battute conclusive sono molto difficili (che lezione propedeutica per le volate di Violetta nel Finale dell'Atto I di *Traviata*!) e si consiglia di iniziarne lo studio lentamente per giungere al *Presto* solo quando l'uguaglianza della voce sarà raggiunta.

Articolare bene le parole "scoglio", "tutta" e "venti", dando loro il significato drammatico che esigono.

LESSON XII
ROULADES

The Arietta

We are like lost ships in cold waters, our affection is like raging wind, every pleasure is like a rock. All our life is like a sea.

Technique and style

This lesson completes the study of roulades begun in Lesson VII. In this exercise Vaccaj introduces the complete roulade, consisting of ascending and descending runs of double quadruplets. Every competent singer should be able to perform roulades. Yet the truth is that few singers are capable of performing them without a sliding effect that makes the pitching of each note imprecise. Roulades require a highly flexible oropharyngeal mechanism and an extraordinary degree of concentration. The single notes must be projected one by one along the roof of the palate, turning the soft and hard palates into a sort of keyboard *on which the sounds are articulated. At the same time the diaphragm must be kept absolutely immobile, and the facial and laryngeal muscles must be as relaxed as possible.*

The Arietta can be used to practise two kinds of florid singing: soft and legato *or "di forza". The text, in fact, appears decidedly dramatic. The student could begin bar 6 p and then introduce a sudden ff in bar 7 (and the bars that follow). The vowel sound and consonants should be carefully articulated in bars 9-10-11 while maintaining a legato* line. *The final three bars are very difficult (and an ideal preparation for Violetta's roulades at the end of Act I of* Traviata*!). It is advisable to begin studying them slowly, and then gradually increase the tempo to* Presto *when one has achieved an even vocal production.*

The words "scoglio", "tutta" and "venti" should be well articulated so as to convey their dramatic meaning as incisively as possible.

LEZIONE XIII

MODO PER PORTARE LA VOCE

L'Arietta

Vorrei spiegar l'affanno,
nasconder lo vorrei,
e mentre i dubbi miei
così crescendo vanno,
tutto spiegar non oso,
tutto non so tacer.
Sollecito, dubbioso,
penso, rammento e vedo,
e agli occhi miei non credo,
non credo al mio pensier.

Scrive Vaccaj:

«Per *portamento* della voce non si deve intendere che si debba trascinarla da una nota all'altra come abusivamente si suole fare; ma unire perfettamente un suono con l'altro. Quando sappiansi legar bene le sillabe come si indicò nella Lezione I, riuscirà più facile l'impararne la maniera; un abile maestro però è quello solo che può darne una distinta idea con la propria voce. Puossi portare la voce in due modi, cioè: od anticipando insensibilmente colla vocale della sillaba precedente la nota che segue, com'è indicato nel primo esempio; l'altro modo, meno usato è di posticipare la sillaba con quella che si lascia, com'è indicato nel secondo esempio. Nelle frasi di grazia o di molta espressione produce un buon effetto; l'abusarne però è difetto, perché allora il canto riesce manierato e monotono.»

Tecnica e stile

Con la lezione sul "port de voix" il Vaccaj ci offre l'esempio migliore e utile di tutta la raccolta. E' il brano che di più si avvicina a una ben precisa idea di Aria o di Lied inteso stilisticamente in senso schubertiano o belliniano.

La questione dell'interpretazione del *portamento di voce* nella pratica del cantante costituisce una spia di allarme nel mare della complessa didattica della voce. Il passare attraverso i gradi cromatici della scala che compongono l'intervallo per legare un suono all'altro è, da tempo immemorabile, un'abitudine inveterata del cantante, specie quello di teatro d'opera.

L'interpretazione in tal senso dell'abbellimento sembra essere collegata a false idee estetiche di natura espressiva. Ciò che oggi erroneamente vien chiamato "portamento" altro non è se non la realizzazione pratica di un altro artificio vocale indicato, fin dai tempi di Tosi e Mancini, come lo "striscio" o lo "strascino di voce". Nel suo trattato, datato 1880, (*L'arte del canto in ordine alle tradizioni classiche*, ed. Ricordi), il Lamperti affermava: «Quanto al vizio dello *strisciare* l'artista potrà

LESSON XIII

THE VOCAL PORTAMENTO

The Arietta

I would like to reveal my anguish, I would like to hide it and while my doubts grow, I dare not explain all this, at the same time I can't hide it all.
Full of doubts I wonder, I remember, I see and I can't believe my eyes, I can't believe my thoughts.

The Author writes:

"*One mustn't think that vocal* portamento *means dragging the voice from one note to another as many singers habitually do. It rather means joining one note perfectly to another. And when one has learnt how to join the syllables in the manner indicated in Lesson I, this should prove less difficult. However it can probably best be understood by means of the example of a good teacher. There are two ways of performing a* portamento*: one can slightly anticipate a note with the vowel sound of the preceding syllable – as in the first example – or (less commonly) one can delay attacking a syllable by lingering momentarily on the one that precedes it, as in the second example. The* portamento *can be very effective in graceful or particularly expressive music. One should however avoid excessive use, which results in mannerism and monotony.*"

Technique and style

In his lesson on the port de voix *Vaccaj offers us the most useful of all his musical examples. Of all the pieces in the* Method, *it is the one that comes closest to the style of an Aria by Bellini or a Lied by Schubert.*

The manner in which the vocal portamento *is used by a singer serves to gauge his or her mastery of style. Singers in general, and particularly opera singers, have always been tempted to join two sounds by passing through all the intermediate notes (as in a chromatic scale).*

This manner of performing the portamento *derives from mistaken aesthetic and expressive notions. What nowadays is wrongly called* portamento, *is in fact a quite different vocal device, identified as early as the 18th century by writers such as Tosi and Mancini as the* striscio *or* strascino di voce.

In his treatise published in 1880 (L'arte del canto in ordine alle tradizioni classiche) *Lamperti wrote: "As to the bad habit of sliding (*strisciare*), the singer would do well to avoid it as much as possible. The uninformed declare that this device was much appreciated in times past as a means of gracing the singing. Obviously there was a degree of confusion in distinguishing between* portamento *or* legato *styles and sliding (*striscio*)."*

valersene osservando grande parsimonia nel suo uso. Secondo gli inesperti sembrerebbe che gli antichi tenessero in conto di pregio lo "strisciare" e lo giudicassero un mezzo atto ad aggiungere grazia al canto. Evidentemente si confuse il *canto di portamento* o *legato* con lo "striscio"».

La testimonianza del grande didatta, preceduta del resto da quella del Vaccaj, ci fa dedurre che il termine "portamento", nella pratica vocale purtroppo ancora in uso, si identifica con l'altro abbellimento chiamato appunto "striscio", che significa infatti "passare da un suono all'altro attraverso tutti i gradi intermedi". Un celebre passo – croce e delizia di centinaia di tenori – illumina il grosso equivoco. Alludiamo alla chiusa dell'"Improvviso" di *Andrea Chenier* di Giordano, servito di norma, dall'esecutore, nel modo seguente:

Il passo ascendente dovrebbe, alla luce delle indicazioni di Vaccaj o Lamperti, essere eseguito così:

Lo striscio è talvolta espressamente richiesto dal compositore. Rossini lo indica con estrema chiarezza:

Tancredi - Cavatina Atto I

E lo stesso Verdi, esplicitamente indica lo striscio di voce allorquando si rende conto quanto arduo sia per un baritono salire al La acuto in altri modi:

Otello - Brindisi Atto I

Lo studente prolungherà la vocale "o" alla battuta 1 nella più assoluta immobilità dell'apparato oro-faringeo, fino a raggiungere le sillabe "rei" poste sulla nota Do (per le voci medie) per poi discendere al Mi prolungando a sua volta la vocale "i" sulla parola "spiegar". La piccola acciaccatura viene posta dal Vaccaj al fine di rendere comprensibile la realizzazione del *portamento* così come lo intendeva lui e i didatti del secolo precedente.

Sulle parole "sollecito" e "dubbioso", a partire dalla battuta 17, si articolino le doppie consonanti ("l" e "b")

The words of a great teacher like Lamperti (which confirm those of Vaccaj) lead us to the conclusion that what is commonly called portamento *in current vocal practise is in fact another embellishment known as the* striscio *– which means in fact "passing from one sound to another by means of all the intermediate grades". A famous phrase from the end of the* Improvviso *in Andrea Chénier ("croce e delizia" of hundreds of tenors) illustrates the misunderstanding. Normally it is sung as follows:*

whereas according to the indications of Vaccaj and Lamperti the B flat should be approached like this:

The striscio *is sometimes expressly requested by the composer. Rossini indicates it clearly:*

Tancredi - *Cavatina Atto I*

And Verdi indicates it too in a passage rising to a high A that a baritone would have great difficulty in singing in any oher way:

Otello - *Brindisi Atto I*

The student should lengthen the vowel sound "o" in bar 1, keeping the oropharyngeal apparatus absolutely immobile, until one reaches the syllables "rei" on the C (for intermediate voices), after which one should descend to the E, lengthening the vowel "i" in the word "spiegar".

The small acciaccatura was added by Vaccaj in order to make it clear to the student how he (and the singing teachers of the 18th century) thought the portamento *should be performed.*

From bar 17 on, one should articulate he double consonants ("l" and "b") in the words "sollecito" and "dubbioso" in such a way as to underline the drama, while at the same time leaning on the strong accents of the words. From bar 30 to the end of the Arietta one

per accentuare il carattere drammatico del momento pur appoggiando la voce sugli accenti forti delle parole. Dalla battuta 30 fino alla conclusione dell'Arietta, si badi a usare la migliore tecnica del canto *sul fiato* per poter eseguire su basi fisiologiche i piccoli gruppetti-mordenti della battuta 32, in modo legatissimo e senza alcuna modificazione delle vocali. Sulle parole di chiusa infine, "non credo al pio pensier", lo studente leghi al meglio il registro medio con quello grave abbassando la laringe sulla nota che precede l'inizio della battuta 35.

L'Arietta costituisce un magnifico esempio di canto legato propedeutico per eseguire molti Lieder del periodo classico e preromantico nonché la maggior parte delle Arie belliniane e rossiniane del tipo elegiaco-cantabile.

should aim at achieving the best possible vocal production on the breath so as to be physiologically prepared to sing the small turns and mordents in bar 32 legato and without any modification of the vowel sounds. On the closing words "non credo al mio pensier", the student should blend the middle and lower registers as well as possible, lowering the larynx on the note that precedes the beginning of bar 35.

This Arietta is a magnificent example of legato singing, and serves as an ideal preparation for many Lieder of the classical and early Romantic period and for elegiac and cantabile Arias by Bellini and Rossini.

mie _ i co _ sì crescen _ do van _ no
mor _ row *In fear* *and doubt* *I lan _ guish*

tut _ to spiegar non o _ so,
All____ to confess____ I'm burn _ ing

tut _ to non so____ ta _ cer, tut _ to spie _ gar, tut _ to___ non
And yet I do___ not dare. All to con _ fess I_____ do___ not

so, non so ta _ cer. Sol _ le _ cito, dub _ bio _ so
dare, I do not dare. In ag _ ony, tor _ ment _ ed,

pen - so,   ram-men - to,   rammen - to   e
doubt - ing,   *de - ment - ed,*   *I can not*   *dis -*

ve - do   e a gli occhi miei non cre - do, non cre-do al mio pen -
-cov - er An   *an - swer to my que - ry, An end to my de -*

-sier,   non cre - do, non cre - do al mio pen - sier, non cre - do, non
-spair,   *discov - er an an - swer to my de - spair, dis cov - er an*

cre - do al mio pen - sier,   non cre - do al mio pen -
an - swer to my de - spair,   *an end to my de -*

-sier,   non cre-do al mio pen - sier.
-spair,   *an end to my de - spair.*

ALTRO MODO

L'Arietta

*O placido il mare
lusinghi la sponda,
o porti con l'onda
terrore e spavento:
è colpa del vento,
sua colpa non è.*

Tecnica e stile

Si tratta, come avverte il Vaccaj nella prima parte della Lezione XIII, del secondo modo di eseguire il *portamento di voce.*

La difficoltà dell'esecuzione sta nel cercare di ottenere la massima liquidità del *legato* senza variazioni di volume e di accento, tranne alla battuta 8 nella quale le parole "terrore" e "spavento" devono essere pronunciate in modo espressivo e concitato.

THE SECOND TYPE OF PORTAMENTO

The Arietta

Whether the calm sea ceresses the shore or brings terror and fright with its waves, it's not its fault but the wind's.

Technique and style

This lesson is about the second way of performing a vocal portamento *mentioned by Vaccaj in Lesson XIII.*

The difficulty lies in achieving a liquid legato *without variations in volume or stress. The only exception is in bar 8, where the words "terrore" and "spavento" should be pronounced in an expressive and agitated manner.*

LEZIONE XIV
IL RECITATIVO

L'Arietta

La Patria è un tutto
di cui siam parti,
al cittadino è fallo
considerar se stesso
separato da lei.
L'utile o il danno
ch'ei conoscer dee solo
è ciò che giova
o nuoce alla sua patria
a cui di tutto è debitor.
Quando i sudori e il sangue
sparge per lei
nulla del proprio ei dona,
rende sol ciò che n'ebbe.
Essa il produsse,

l'educò, lo nudrì.
Con le sue leggi
dagl'insulti domestici
il difende,
dagli esterni con l'armi.
Ella gli presta nome,
grado ed onor,
ne premia il merto,
ne vendica le offese,
e madre amante,
a fabbricar s'affanna
la sua felicità,
per quanto lice
al destin dei mortali
esser felice.

Scrive Vaccaj:

«Nel Recitativo è necessaria una sillabazione distinta e decisa, e senza una perfetta accentazione non se ne potrà ottenere un buon effetto. Allorché s'incontrano due note simili nel mezzo, quella ove cade l'accento della parola dev'essere interamente convertita in appoggiatura della seguente: il che per più chiarezza viene indicato con una A sopra la nota dell'accento.»

Tecnica e stile

Con questo stupendo saggio di recitativo il Vaccaj fuga ogni dubbio sui reali propositi del suo *Metodo*: iniziare lo studente di canto all'aspetto più complesso e necessario del canto teatrale. Col recitativo il cantante raggiunge la *summa* delle sue conoscenze e allo stesso tempo ritorna, possiamo dire, all'origine del concetto estetico del canto: il cosiddetto "Recitar cantando" o "Cantando recitare" di monteverdiana memoria. Tuttavia, per ritrovare in ultimo la semplicità del discorso "cantato", egli avrà dovuto attraversare il mare delle difficoltà tecniche che il Vaccaj gli ha proposto!

Secondo la definizione che ne da il Garçia: «Il Recitativo è una declamazione musicale libera. Esso subordina il valore delle note, quello delle pause, gli accenti, alla lunghezza o alla brevità prosodiaca delle sillabe, all'interpretazione, insomma, al movimento del discorso».

La sua esecuzione dunque deve escludere la parola tutta cantata o tutta recitata; nell'equilibrare il rapporto canto-parola, nell'eccitare, potremmo dire, la parola, esaltandone il voluto "senso sonoro", quel tanto da raggiungere l'altezza del dato suono, per poi ritornare all'inflessione parlata, in questo gioco di equilibri sta il segreto del recitativo. Arnold Schönberg con il suo *Sprechgesang* (canto parlato) si riallaccia idealmente al

LESSON XIV
THE RECITATIVE

The Arietta

We belong to our Country, we are part of it, it is a fault to consider ourselves separately from the Country.

The citizen must know what's useful to it and what harms it, because he owes it everything.

When he sweats and bleeds for his Country he is not making any gift but only giving back what he has received.

The Country produced him, educated him, feeded him; with its laws it protects him in his home and with its weapons it protects him from other enemies.

It gives him a name, a rank and honour, rewards his merits, revenges offences and like a mother or a lover tries hard to give him as much happiness as a mortal can reach.

The Author writes:

"In the recitative it is necessary to articulate the syllables in a clear and decided manner, and the words should be perfectly stressed, otherwise they will not achieve their full effect. When one encounters two identical notes in the middle of a word, the one on which the accent falls should be turned into an appoggiatura of the one that follows – for greater clarity this is indicated by an A above the accented note."

Technique and style

With this magnificent exercise on recitative Vaccaj dispels any doubts about the real purpose of his Method *– by preparing the student for the most complex and fundamental part of operatic singing. In the recitative the singer's abilities are stretched to a maximum in a sort of return to the aesthetic origins of song: the so-called* Recitar cantando *or* Cantando recitare *evoked by Monteverdi. And paradoxically he will rediscover the simplicity of sung speech only after overcoming the enormous technical difficulties placed in his path by Vaccaj!*

Garçia wrote that "The recitative is free musical declamation. It subordinates the value of the notes, the rests and the accents to the lenght or the brevity of the syllables – in other words to the interpretation; to the movement of the speech".

In performing recitative one should thus exclude words that are entirely sung or entirely declaimed. The secret lies in a perfect balance between verbal inflections and the exact sonorities which the words acquire by means of precisely pitched sounds. Arnold Schönberg's Sprechgesang *represents an ideal continuation of the Monteverdian recitative, in which the composer carries the tense relationship between words and sounds to a logical extreme.*

recitativo monteverdiano esasperandone le leggi dell'attacco-abbandono del suono.

Notiamo che il Vaccaj dissemina l'Arietta di appoggiature. Noi abbiamo preferito lasciare quelle necessarie, cioè consone al gusto d'oggi. L'esecuzione delle appoggiature a ogni gruppo di note uguali alla fine dei periodi produrrebbe monotonia e noia.

Si renda il testo chiaro e si badi soprattutto a osservare gli accenti delle parole più che la struttura delle battute.

Il testo appare pomposo e di natura vagamente anacronistica; tuttavia il cantante entri nel momento storico e conferisca al testo il suo senso retorico. Si prenda il semplice *cantabile* dalla battuta 28 alla 31 per poi ritornare al declamato "per quanto lice" fino alla conclusione a piena voce. Lo studente si prepari quindi idealmente a far seguire a questo recitativo la grande Aria che possiamo soltanto immaginare.

Vaccaj disseminated appoggiaturas throughout the piece. We decided to keep only those which are necessary, in accordance with today's tastes. The introduction of appoggiaturas at every group of repeated notes at the end of the periods would risk seeming monotonous today.

The text should be sung clearly, and one should pay more attention to the word stresses than to the bar structure.

The text seems pompous and somewhat anachronistic. The singer should nonetheless attempt to "enter" the historical period and render the text in an appropriately rhetorical manner. In bars 28 to 31 there is a return to a simple cantabile *style, whereas the style becomes declamatory again from the words "per quanto lice", which lead up to the full voiced conclusion. The student should sing this recitative as if he were preparing for a full-scale Aria.*

gio_va   o   nuoce alla sua   patria   a cui di tut_to è de_bi _ tor.
_vantage or be harmful to his   country,   to which he owes his ver_y   self.

Quando i sudo _ri   e il san_gue spar_ge per le_ i, nul_la del proprio   ei
And when he sheddeth his   life-blood for   its pro _ tec_tion, He's but re_turning what it

do_ na,   rende sol ciò che   n'eb_be.   Es _ sa il pro_
gave him,   'tis not his own he   is   giv_ing.   His country pro _

_dus_se. l'è _ du_cò, lo nu_drì: con le sue leg_gi dagl'in_sul_ti do_
*_duc'd him, brought him up, gave him food,   And from in_ter_nal   in _ jus_tice pro_*

21
-mesti - ci il di - fende,　　dagli ester-ni　con l'armi.　　El - la gli
-tected him with its law,　　from external　by arms.　　To it doth he

24
presta nome, grado ed o - nor,　　ne premia il merto,　ne vendi - ca le of-
owe— name,　rank and　honour.　　It rewards his merits,　a - venges his of-

27
- fe - se,　　e　ma - dre a - mante　a fabbri - car s'af - fanna　la sua fe - li - ci -
-fences　　and　like a lov - ing mother,　endeavours to as - sure　his happiness in

31
- tà,　per quanto li - ce　al de - stin de' morta - li　es ser fe - li - ce.
life,　As far as mortal　is al - low'd here be - low　to be　happy.

LEZIONE XV
RIEPILOGO

L'Arietta

Alla stagion de' fiori
e de' novelli amori,
è grato il molle fiato
d' un zeffiro legger.
O gema fra le fronde,
o lento increspi l' onde.
Zeffiro in ogni lato
compagno è del piacer.

Tecnica e stile

L'Arietta è composta nella piena libertà di forma con una interessante coda di cinque battute.

Scopo di quest'ultimo, complesso esercizio, è il rivedere, in un corpo unico, tutte le forme vocali: dalla scala al recitativo attraverso il canto d'agilità e di espressione, già incontrate in precedenza.

Tutti i temi sembrano essere ripresi e abilmente messi in evidenza volta per volta. Per rendere più facile allo studente l'identificazione di ogni *tema* da trattare, abbiamo creduto opportuno di porre, nei passi salienti, il nome di ogni artificio vocale.

Il tempo dell'Arietta è marcato dall'Autore *Moderato*. Tuttavia lo studente potrà variare a suo piacere la velocità del pezzo al fine di porre in netta evidenza ogni singolo argomento. Ad esempio, alle battute 13-14-15 egli troverà l'esecuzione del *portamento di voce* (del tipo *di sotto*) e allo stesso tempo l'invocazione "o gema, o gema" presenta la declamazione del recitativo. Dunque sarà bene rallentare al massimo il tempo da imprimere alle due battute onde poter bene eseguire l'ortodosso *port de voix*. Riprendere alle battute seguenti un tempo veloce per meglio eseguire i due mordenti. Anche la battuta 20 avrà il miglior effetto (cromatismo) se cantata in tempo rapido con la massima leggerezza di fiato. La chiusa acrobatica – notevole esempio di virtuosismo vocale – potrà essere eseguita sia con agilità legata che con quella di tipo barocco, cioè leggermente *martellata* o *perlata*.

Il cantante che riuscirà a eseguire su precise basi fisiologiche e artistiche il lungo finale di questa Arietta, potrà considerarsi pronto e qualificato ad approcciare le più spericolate difficoltà del canto rossiniano, canto che trova oggi un insperato e interessante *revival*.

LESSON XV
EPILOGUE

The Arietta

In the period of flowers and new loves a mild zephir is pleasant.
Blowing among the leaves and gently rippling the waters, it brings pleasure everywhere.

Technique and style

The Arietta has an open structure with an interesting five bar coda.

The purpose of this difficult final exercise is to revise all the vocal forms introduced in the Method, *including the scale, the recitative and various styles of florid and expressive singing. These various elements are cleverly highlighted in turn. And we have helped the student identify them by writing in the name of each vocal device in the relative passages.*

The tempo indicated by the Author for the Arietta is Moderato. *However, the student can vary the tempo in such a way as to underline each single device. For example, in bars 13-14-15 there is a vocal* portamento *(from below) and a declamatory recitative in the invocation "o gema, o gema". It would thus be advisable to slow down the tempo in these bars so as to be able to perform the* port de voix *in an orthodox manner. In the bars that follow, on the other hand, one should speed up the tempo in order to perform the two mordents as well as possible. The chromatic effect to be found in bar 20 will also work better if sung rapidly and lightly on the breath. The acrobatic ending of the Arietta – a remarkable example of vocal virtuosity – can be performed either* legato *or in Baroque style – slightly* martellato *or* perlato.

The singer who manages to perform the long ending of this Arietta in a physiologically and artistically correct manner can condider him or herself ready to approach the most difficult of Rossini's vocal music, which is currently enjoying an unhoped-for and interesting revival.

Nota per l'ascolto

La registrazione delle Ariette del *Metodo* da parte del soprano Nuccia Focile e del baritono Lucio Gallo, accompagnati al pianoforte da Erik Battaglia, osserva il seguente ordine:

- **nn. 1-44**: esecuzione delle 22 Ariette da parte del Soprano e del Baritono, alternativamente;
- **nn. 45-66**: esecuzione del solo accompagnamento pianistico.

Nel realizzare la base pianistica si è cercato di rispettare i tempi indicati dall'Autore senza indugiare in alcun *ritardando* o *crescendo*. Al contrario, tali variazioni si trovano spesso nell'interpretazione dei due cantanti.

Si è creduto opportuno, inoltre, per comodità d'esecuzione, far precedere da una o due battute preliminari a vuoto l'inizio delle seguenti Ariette:

- Lezione II: "Avvezzo a vivere" - una battuta;
- Lezione VI: "Nel contrasto" - una battuta;
- Lezione VII: "Come il candore" - una battuta;
- Lezione VIII: "Senza l'amabile" - una battuta;
- Lezione IX: "L'augelletto" - una battuta;
- Lezione X: "Quando accende" - due battute;
        "Più non si trovano" - una battuta;
- Lezione XV: "Alla stagione de' fiori" - una battuta.

Note for listeners

The examples of Vaccaj's Method recorded on cassette by the soprano Nuccia Focile and the baritone Lucio Gallo, accompanied on the piano by Erik Battaglia, are ordered as follows:

- ***nos. 1-44**: performance of the 22 Ariettas by Soprano and Baritone, alternately;*
- ***nos. 45-66**: performance of the piano accompaniment alone.*

The piano accompaniment is as respectful as possible of the composer's indications and avoids any ritardandos or crescendos. The two singers, on the other hand, are often more flexible in their interpretations.

To facilitate the student, each of the following Ariettas is preceded by one or two introductory bars of piano accompaniment:

- *Lesson II: "Avvezzo a vivere" - one bar;*
- *Lesson VI: "Nel contrasto" - one bar;*
- *Lesson VII: "Come il candore" - one bar;*
- *Lesson VIII: "Senza l'amabile" - one bar;*
- *Lesson IX: L'augelletto" - one bar;*
- *Lesson X: "Quando accende" - two bars;*
        "Più non si trovano" - one bar;
- *Lesson XV: "Alla stagione de' fiori" - one bar.*

GUIDE TO PRONUNCIATION

Vowels

The vowels in Italian are pure and should never be pronounced as diphthongs. They may be either long (when terminating accented syllables) or short (in unaccented syllables or those ending with a consonant), but their sound is unvarying. Thus groups of vowels are read as two or three separate vowels (mi-e-i, pa-u-ra).

There are five vowels in Italian, but e *and* o *have two pronunciations, one open and one close, as follows:*

a - sounds like "a" in "far" (caro, amo)

e - open e *is like "e" in "then"* (dieci, erba)

close e *is like "ey" in "they", but without the diphthong, in all unstressed positions* (cena, sera)

i - sounds like "i" in "machine" (in, dica)

o - open o *is like "o" in "off"* (notte, vostro)

close o *sounds like "o" in "more" in all unstressed positions* (amore, nome)

u - like "oo" in "soon" (crudo); *note that when followed by another vowel* u *tends to shorten to "w" (as in* guerra)

Consonants

Note that in Italian all consonants, even the hard ones, are always softer than in English, and that the soft consonants have a very delicate pronunciation.

b, d, f, l, m, n, p, q, t, v are pronounced as in English

c - has two pronunciations:

hard as in "cat" before a, o *and* u *and all consonants (including* h) *except* c (caro, core, cura, chiaro)

soft as "ch" in "change" before e *or* i (cena, cima); *double* c *before* e *or* i *sounds like "t-ch"* (caccia)

g - also has a hard and soft pronunciation:

hard as in "gun" before a, o *and* u *and all consonants (including* h) *except* l *and* n (gara, gode, gusto, ghetto)

soft as in "general" before e *and* i (gelo, giro)

gl - is sounded like "lli" in "million" (figlio)

gn - is pronounced like "ni" in "onion" (segno)

h - is never pronounced in Italian but often indicates a hard pronunciation of c *and* g (chiaro, ghiaccio)

j - does not appear in the modern Italian alphabet; in older texts is has the sound of "y" in "you"

r - is always rolled like a Scottish "r" (with the tip of the tongue against the upper palate)

s - has several pronunciations according to its position in the word:

like "s" in "sad" as a single initial consonant (sopra) *or before* f, p, q, s, t (sforzo, sporco, squallido, spasso, stella)

like "s" in "rose" when intervocalic (casa) *or before* b, d, g, l, m, n, r, v (sbaglio, sdegno, sguardo, sleale, smania, snodo, sradicare, svolto)

sc - before e *and* i *is pronounced as a group like "sh" in "shell"* (scena, scintilla); *sc before* a, o, u *or a consonant (including* h) *is pronounced "sk" as in "skip"* (scarpa, scherzo, scorso, scudo)

z - has two sounds: the usual one is "ts" (pezzo, zucchero); *the other sound is soft "ds"* (pranzo, mezzo)

Double consonants must always be pronounced in Italian. The first syllable should be dwelt upon (ec'-co). *The double consonant is sometimes separated in pronunciation (as in* bel-lo, strap-po) *and sometimes merely lengthened (as in* faccia, regge, passo).

The stress in accented syllables is less explosive than in English. It should be rendered by prolonging rather than forcibly marking the syllable.

INDICE

CONTENTS

Prefazione del Revisore
Note biografiche di Nicola Vaccaj

Prefazione dell'Autore
Lezione I - La scala (Arietta "Manca sollecita")
Intervalli di terza (Arietta "Semplicetta tortorella")
Lezione II - Intervalli di quarta (Arietta "Lascia il lido, e il mare infido")
Intervalli di quinta (Arietta "Avvezzo a vivere")
Lezione III - Intervalli di sesta (Arietta "Bella prova è d'alma forte")
Lezione IV - Intervalli di settima (Arietta "Fra l'ombre un lampo solo")
Intervalli di ottava (Arietta "Quell'onda che ruina")
Lezione V - I semitoni (Arietta "Delira dubbiosa")
Lezione VI - Modo sincopato (Arietta "Nel contrasto amor s'accende")
Lezione VII - Introduzione alle volate (Arietta "Come il candore")
Lezione VIII - Le appoggiature sopra e sotto (Arietta "Senza l'amabile")
L'acciaccatura (Arietta "Benché di senso privo")
Lezione IX - Introduzione al mordente (Arietta "La gioia verace")
Lo stesso in diversi modi (Arietta "L'augelletto in lacci stretto")
Lezione X - Introduzione al gruppetto (Arietta "Quando accende un nobil petto")
Il gruppetto (Arietta "Più non si trovano")
Lezione XI - Introduzione al trillo (Arietta "Se povero il ruscello")
Lezione XII - Le volate (Arietta "Siam navi all'onde algenti")
Lezione XIII - Modo per portare la voce (Arietta "Vorrei spiegar l'affanno")
Altro modo (Arietta "O placido il mare")
Lezione XIV - Il recitativo (Arietta "La Patria è un tutto")
Lezione XV - Riepilogo (Arietta "Alla stagion de' fiori")

Nota per l'ascolto

4 The Editor's Preface
6 Nicola Vaccaj: biographical notes

7 *The Author's Preface*
8 *Lesson I - The scale (Arietta "Manca sollecita")*
10 *Intervals of a third (Arietta "Semplicetta tortorella")*
12 *Lesson II - Intervals of a fourth (Arietta "Lascia il lido, e il mare infido")*
14 *Intervals of a fifth (Arietta "Avvezzo a vivere")*
16 *Lesson III - Intervals of a sixth (Arietta "Bella prova è d'alma forte")*
18 *Lesson IV - Intervals of a seventh (Arietta "Fra l'ombre un lampo solo")*
20 *Intervals of an octave (Arietta "Quell'onda che ruina")*
22 *Lesson V - Semitones (Arietta "Delira dubbiosa")*
25 *Lesson VI - Syncopated mode (Arietta "Nel contrasto amor s'accende")*
27 *Lesson VII - Introduction to roulades (Arietta "Come il candore")*
29 *Lesson VIII - Ascending and descending appoggiaturas (Arietta "Senza l'amabile")*
32 *The acciaccatura (Arietta "Benché di senso privo")*
35 *Lesson IX - Introduction to the mordent (Arietta "La gioia verace")*
38 *Different types of mordent (Arietta "L'augelletto in lacci stretto")*
41 *Lesson X - Introduction to the turn (Arietta "Quando accende un nobil petto")*
43 *The turn (Arietta "Più non si trovano")*
45 *Lesson XI - Introduction to the trill (Arietta "Se povero il ruscello")*
48 *Lesson XII - Roulades (Arietta "Siam navi all'onde algenti")*
50 *Lesson XIII - The vocal portamento (Arietta "Siam navi all'onde algenti")*
55 *The second type of portamento (Arietta "O placido il mare")*
57 *Lesson XIV - The recitative (Arietta "La Patria è un tutto")*
61 *Lesson XV - Epilogue (Arietta "Alla stagion de' fiori")*

65 Note for listeners
66 Guide to pronunciation

Indice del CD
NICOLA VACCAJ
Metodo pratico di canto

	Titolo	Soprano e Pianoforte	Baritono e Pianoforte	Pianoforte solo
Lezione I:	Manca sollecita	1	2	45
	Semplicetta tortorella	3	4	46
Lezione II:	Lascia il lido, e il mare infido	5	6	47
	Avvezzo a vivere	7	8	48
Lezione III:	Bella prova è d'alma forte	9	10	49
Lezione IV:	Fra le ombre un lampo solo	11	12	50
	Quell'onda che ruina	13	14	51
Lezione V:	Delira dubbiosa	15	16	52
Lezione VI:	Nel contrasto amor s'accende	17	18	53
Lezione VII:	Come il candore	19	20	54
Lezione VIII:	Senza l'amabile	21	22	55
	Benché di senso privo	23	24	56
Lezione IX:	La gioia verace	25	26	57
	L'augelletto in lacci stretto	27	28	58
Lezione X:	Quando accende un nobil petto	29	30	59
Lezione XI:	Più non si trovano	31	32	60
Lezione XII:	Se povero il ruscello	33	34	61
Lezione XIII:	Siam navi all'onde algenti	35	36	62
	Vorrei spiegar l'affanno	37	38	63
Lezione XIV:	O placido il mare	39	40	64
Lezione XV:	La patria è un tutto	41	42	65
	Alla stagion de' fiori	43	44	66